LES STYLES
EN ARCHITECTURE
PHILIPPE CROS

L E S   E S S E N T I E L S   M I L A N

Sommaire

Les mots suivis d'un astérisque (*) sont expliqués dans le glossaire.

Le style, empreinte de l'architecture

Même si, comme toute forme d'expression artistique l'architecture ne peut se réduire à des archétypes stricts, les styles sont à cette dernière ce que la syntaxe est à la langue.

Les styles sont une réalité et si le glissement de l'un vers l'autre est toujours subtil, on est toujours étonné de voir comment, à la faveur d'une mutation sociale, philosophique, économique ou religieuse, un nouveau style peut tout à coup, apparemment, faire table rase du passé : c'est ce que l'architecture gothique imposa au roman, tout comme le néoclassicisme sonna le glas des audaces rococo.

On nous pardonnera de ne pas aborder, dans ce livre, les styles en architecture de manière exhaustive. Plus qu'à un cours théorique, c'est à un voyage à travers les styles occidentaux qu'est convié, ici, le lecteur. Mais la réalité est plus complexe vue de l'intérieur : s'il se caractérise de sa naissance à sa mort par une ligne, un esprit, le style connaît, comme la vie des hommes, une évolution qui le mène de son enfance encore hésitante à la maturité, puis à la plénitude qui prélude toujours le déclin.

L'architecture grecque

C'est entre le VIe et le IVe siècle avant Jésus-Christ que l'architecture grecque développa des archétypes qui devaient encore, deux mille ans plus tard, marquer l'architecture occidentale.

Les chapiteaux correspondant aux trois ordres grecs :

Le chapiteau dorique.
Ordre dorique à partir du VIe siècle avant J.-C.

Le chapiteau ionique.
Ordre ionique
VIe siècle avant J.-C.

Le chapiteau corinthien.
Ordre corinthien
à partir du Ve siècle
avant J.-C.

Le triomphe de la raison

Dans une société qui construisait pour les hommes des demeures éphémères et pour les dieux des lieux d'éternité, le temple est le symbole même de l'architecture grecque et symbolise la quête rationnelle propre à cette dernière. Elle se résume par la simple rencontre d'éléments verticaux et horizontaux : les colonnes, dont le diamètre est l'unité de mesure régissant l'harmonie des proportions du bâtiment, supportent des linteaux* de pierre qui, sur le pourtour du bâtiment, supportent la toiture à deux pentes. L'ensemble de ces colonnes forme un ordre*, que l'on qualifie de dorique ou ionique ou tardivement de corinthien, en fonction des spécificités de la colonne et de son chapiteau*.

L'ordre dorique

Le Parthénon est à lui seul l'archétype même de l'ordre dorique qui se caractérise par son souci de logique et de simplicité. Sans base, la colonne repose directement sur le soubassement du temple et, seul un chapiteau au profil très simple et sans décor, permet de passer sans rupture linéaire du fût* cylindrique à l'architrave* rectangulaire. Ainsi, à aucun moment, on ne perd de vue le rôle strictement porteur de la colonne. Le décor de l'entablement*, très simple, comprend, outre l'architrave, une frise et une corniche. L'alternance sur la frise de décors appelés triglyphes et métopes est une résurgence « pétrifiée » des éléments des premières constructions, jadis en bois : les triglyphes (éléments saillants) évoquent l'extrémité des poutres qui formaient jadis les plafonds.

Implantation

Le style dorique s'implanta en Grèce continentale et à l'ouest tandis que l'ordre ionique, bien caractéristique du goût du faste et du raffinement des peuples ioniens, se développa en Asie Mineure et dans les îles.

Le Parthénon
sur l'Acropole
d'Athènes.

L'ordre ionique

La différence première entre les ordres dorique et ionique réside dans l'opposition stylistique : à la rudesse du style dorique originel succéda bientôt la grâce du style ionique, dans lequel les colonnes devenues graciles reposaient sur une base permettant de relier de manière plus élégante le fût au soubassement. Le même souci d'élégance poussa les Grecs à modifier le chapiteau pour l'enrichir de deux volutes* dont les courbures étaient censées, là encore, lier les éléments orthogonaux de la colonne et de l'architrave. Enfin, l'assouplissement touche également le fût de la colonne dans lequel les arêtes trop vives de l'ordre dorique furent remplacées par une côte*.

L'époque hellénistique

Après la mort d'Alexandre le Grand en 323, l'architecture grecque continua de rayonner dans toute l'Asie Mineure, en Syrie et en Égypte, mais cette architecture rompit avec la simplicité d'origine. Dès la fin du Ve siècle, aux ordres dorique et ionique s'était ajouté l'ordre corinthien, plus fouillé dans son décor et caractérisé par un chapiteau à volutes entouré de feuilles d'acanthe. Dès cette époque, les temples ne sont plus les seuls bâtiments à être construits avec un soin extrême et les théâtres se multiplient, comme les portiques*, pour lesquels l'effet recherché n'est plus l'équilibre et la mesure mais, au contraire, le faste et l'ostentation.

La Grèce classique mit au point un langage stylistique et formel qui devait être déterminant pour la civilisation occidentale mais, dès le milieu du IVe siècle av. J.-C., les grands principes d'équilibre et de rationalisme furent occultés par un souci de grandiose, d'effet et de raffinement.

L'architecture romaine

Éprise de pragmatisme et de puissance autant que l'architecture grecque l'avait été d'équilibre, l'architecture romaine sut récupérer la beauté du style grec en apportant des solutions personnelles aux besoins spécifiques de la civilisation de Rome.

Une des particularités de l'ordonnance romaine réside dans la superposition des ordres. Ainsi les ordres romains se superposent : toscan sur la colonne inférieure, ionique au centre et corinthien pour l'étage supérieur. La colonne est simplement juxtaposée à l'arcade, elle devient un véritable motif décoratif.

Une typologie architecturale novatrice

Si les Romains puisèrent chez les Grecs la majeure partie de leur répertoire architectural, ils eurent néanmoins le mérite de créer toute une typologie d'édifices novateurs, répondant bien sûr aux besoins de leur civilisation. Si les bâtiments à coupole tels que le Panthéon de Rome sont les exemples les plus spectaculaires, les basiliques, servant à la fois à rendre la justice et de bourse de commerce, devaient avoir une immense postérité dans l'architecture religieuse des siècles à venir en inventant le futur plan des églises chrétiennes (nef* et bas-côtés). Mais on pourrait citer les arcs de triomphe, ou les thermes et amphithéâtres qui se multiplièrent au sein de l'Empire au gré des conquêtes.

Une photographie du Panthéon de Rome, prise au XIXᵉ siècle. Ce temple fut construit par Aggripa et reconstruit sous les règnes d'Hadrien, d'Antonin le Pieux et Septime Sévère.

Des audaces vis-à-vis des doctrines architecturales grecques

Si les Romains furent respectueux de l'équilibre et de la beauté des inventions architecturales grecques, ils ne cherchèrent à aucun moment à rester fidèle à l'esprit qui avait animé ces créations. Ils s'éloignèrent de la dimension constructive de cette architecture pour n'en

Usage de l'arc

L'un des apports de l'architecture romaine à l'héritage grec est constitué par l'usage de l'arc, exploité sur la plupart des édifices, comme par exemple les arcs de triomphe, ou sur des bâtiments aussi célèbres que le Colisée.

faire souvent qu'un décor. Chez les Romains, on assiste dans un souci d'ostentation à de fréquentes superpositions des ordres*. De la même manière, les colonnes sont désormais souvent engagées dans les murs, ce qui leur ôte leur fonction porteuse d'origine au profit d'un souci de rythme purement décoratif.

Chapiteau composite. L'ordre composite est une création romaine, c'est un mélange de l'ordre corinthien et de l'ordre ionique.

Le triomphe de l'ordre corinthien

Ce triomphe de l'ordre corinthien est la suite logique de l'évolution qui avait mené l'ordre dorique originel à l'ordre ionique. D'autre part, l'ordre corinthien, dans lequel l'angle de chaque chapiteau* est composé de deux feuilles élégamment réunies, correspondait à la volonté de faste affiché par la civilisation romaine. L'étape ultime de ce souci d'ostentation fut la création de l'ordre composite ou toscan, formule décorative tout à fait gratuite, formant l'alliance de l'ordre ionique et de l'ordre corinthien. Un pas de plus qui éloignait l'architecture occidentale du souci de rationnel de l'art grec.

L'usage de matériaux différents

Pour tous les édifices revêtant un caractère sacré ou particulièrement important, les Grecs avaient utilisé les matériaux nobles, tels que la pierre ou le marbre. Les Romains eurent dès le début de leur histoire une démarche pragmatique et ils adaptèrent les constructions, quelles qu'elles soient, au matériau le plus accessible ou à l'usage qui devait être fait du bâtiment. La brique fut utilisée de manière systématique dans bien des pays, mais aussi le mortier et la pauvreté de ces matériaux était occultée par le placage de marbre ou le stucage. De la quête de l'équilibre au travers de la vérité, propre à l'architecture grecque, on était passé à une architecture de placage, avant tout illusionniste.

Si les Romains « pillèrent » en apparence le répertoire architectural grec, ils le dépouillèrent cependant de son esprit originel au profit d'un emploi purement visuel. Ils eurent le mérite de créer nombre de nouveaux bâtiments, dont certains sont parvenus jusqu'à nous, même si la civilisation chrétienne en fit un usage différent.

Caractéristiques architecturales

Au lendemain de la grande peur superstitieuse de l'an mil, l'art roman fut la manifestation du triomphe de la foi, couvrant l'Europe d'églises. Il se caractérise par son dépouillement et par la fonctionnalité de son architecture.

Voûte d'arêtes.

Voûte en berceau.

Un terme récent

Le terme roman fut adopté au XIXᵉ siècle par analogie avec les langues romanes pour désigner l'art qui s'est développée du début du XIᵉ siècle jusqu'à la fin du XIIᵉ siècle. Ce dernier est contemporain de l'épanouissement des ordres monastiques et de la société féodale. Il désigne avant tout des formes dérivées de constructions de la fin de l'Antiquité et, au départ, les procédés de construction ne différaient guère de ceux de l'époque carolingienne. Néanmoins, très rapidement, les différences l'emportèrent sur les similitudes.

On distingue deux périodes dans le développement de l'art roman : la fin du Xᵉ siècle correspond à l'invention du style, la fin du XIᵉ siècle à son âge d'or.

Plein cintre et berceau

L'arc en plein cintre, caractéristique de l'art roman, présente en fait la forme d'une demi-circonférence, et la prolongation de ce même arc sur toute la longueur de la nef* forme une voûte en berceau*. Cette voûte continue présentait donc une égale poussée* tout au long de la nef. Cependant, les percements entre

les Grecs et les Romains | le roman | le gothique | la Renaissanc

la nef et les bas-côtés* créaient des forces différentes tout au long de cette nef : le problème majeur était en fait de concilier la stabilité de l'édifice et l'éclairage de la nef.

Le mur

Outre l'arc en plein cintre, l'un des caractères majeurs de la construction romane réside dans l'emploi privilégié du mur. L'utilisation de parois particulièrement épaisses doublées de contreforts* est liée à des soucis de stabilité des édifices, puisqu'il s'agit de contenir différentes parties appelées à se soutenir mutuellement et de renforcer le mur affaibli par les ouvertures. Le mur est d'ailleurs consolidé sur toute sa hauteur par un pilier relié à celui d'en face par un arc : quatre piliers ainsi reliés par des arcs forment une unité spatiale, la travée*, dont la répétition engendre la nef.

Contrefort.

Afin d'encaisser la poussée exercée par les voûtes, les murs sont plus épais et consolidés par des contreforts.

Originalité

Malgré les réminiscences des siècles passés, l'architecture romane affiche une nette originalité dans la composition des portails, dans le dessin des façades, et enfin dans le plan.

Des techniques empiriques

La méthode romaine du coffrage en béton étant oubliée, les débuts de l'architecture romane sont caractérisés par la raideur du cloisonnement de l'espace et l'épaisseur des murs.

L'élévation

Les progrès de l'architecture au cours du XIe siècle réintroduisent l'art de l'appareillage et permettent de voûter en pierre non plus seulement l'abside* mais toute la nef, ce qui est le grand enjeu de l'architecture romane une fois l'équilibre des poussées maîtrisé. Les voûtes sont le plus couramment en berceau plein cintre, mais peuvent être aussi en arc brisé. Sur le plan de l'élévation, les églises romanes comportent des arcades et des galeries appelées tribunes* destinées aussi bien à accueillir le public qu'à contrer la poussée des voûtes. On rencontre aussi parfois une galerie nommée triforium* et faisant office de coursive, à l'instar des tribunes.

L'architecture romane avait pour but d'éduquer en montrant, et c'est pour cela que cette dernière affichait clairement les matériaux et leur rôle.

La basilique romane et l'église de pèlerinage

La basilique représente le type même de l'église romane, dérivé des modèles de la fin de l'Antiquité, tandis que l'église de pèlerinage constitue la typologie d'édifice la plus achevée au XIe siècle.

Saint-Michel-de-Cuxa

Saint-Michel-de-Cuxa (XIe siècle) appartient au premier art roman méridional. C'est à travers ce monument et d'autres très proches géographiquement que l'on voit apparaître les premiers clochers aux chevets et aux façades. Une partie du cloître du monastère se trouve depuis le début du siècle aux États-Unis, au Cloisters Museum de New York.

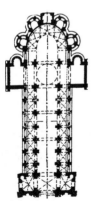

Plan d'une église romane.

Le plan basilical

La basilique* romane reprend en fait les techniques et les formes du passé, mais en les utilisant de manière originale. Le plan byzantin* (longue nef* rectangulaire) disparaît dans l'architecture romane et l'église se rétrécit, s'allonge, tandis que les murs s'affinent. Cependant, le quadrilatère demeure, mais répété plusieurs fois, sous la forme de la travée*. Au plan basilical byzantin sont adjoints des collatéraux*, un transept* et des chapelles secondaires (absidioles, qu'on retrouve autour du chœur). La croisée du transept* peut être coiffée d'une coupole, sur trompes* ou sur pendentifs*. Une autre caractéristique de la basilique romane réside dans la tour-lanterne* qui, au-dessus de la crypte, crée un axe vertical. Le plan bénédictin est le plus bel exemple de la basilique romane et l'architecture de l'église abbatiale de Cluny, aujourd'hui détruite, servit de modèle de référence.

les Grecs et les Romains | le roman | le gothique | la Renaissance

Une architecture allégorique

L'intérieur de la basilique se voulait la représentation en réduction de la ville et de l'ordre social, avec le lieu du pouvoir que représentait le chœur, les résidences des nobles qu'évoquaient les tribunes*, le cimetière de la crypte, et même la grand-rue qu'évoque si bien la nef, bordée des portiques* des nefs secondaires. En effet, la basilique est une sorte de voie procession-nelle, tandis qu'à la place du tribunal qu'on trouvait dans l'abside* des basiliques romaines (civiles), on trouve au même endroit le trône de l'évêque, autre forme d'expression du pouvoir, cette fois-ci religieux.

L'église de pèlerinage, avec un exemple de chevet auvergnat.

L'église de pèlerinage

L'église de pèlerinage se trouvait souvent au carrefour des chemins de pèlerinage et s'élevait sur la sépulture d'un saint, située dans la crypte. Ces églises, nombreuses notamment en Auvergne, sont caractérisées par un transept à collatéral* simple ou double et un chœur à déambulatoire* et chapelles rayonnantes. Ce plan était particulière-ment favorable à la circulation des fidèles autour du chœur. Au niveau du chevet*, ce plan dit « à déam-bulatoire et à chapelles rayonnantes* » aboutit à un bel étagement des volumes depuis le clocher jusqu'aux absidioles.

Décor architectural

Un goût nouveau pour l'ornementation extérieure se fait jour avec l'invention de la bande lombarde* et on note une nouvelle recherche d'expressivité dans le décor. Néanmoins, les murs lisses n'accueillent aucune décoration inutile. Outre les modillons*, l'architecture romane intègre des chapiteaux* à décor animalier, géométrique ou végétal, inspirés de l'Antiquité, mais aussi des traditions byzantine et islamique. Le pilier, quant à lui, est désormais débarrassé des règles édictées par les ordres*. Sur les portails, les arcs ont leur retombée sur autant de colonnettes.

> Le plan basilical est le plan le plus raffiné que puisse présenter une église romane ; on n'a jamais surpassé l'ampleur des basiliques de pèlerinage, échelonnées sur la route de Saint-Jacques de Compostelle, *via* l'Auvergne.

Diffusion du roman

Relayée et dynamisée par l'art monastique, l'architecture romane devint bientôt le premier vrai visage de pierre de la chrétienté, grâce à une unité de style n'excluant pas l'expression des particularismes locaux.

Art préroman ou lombard

Né vers la fin du Xe siècle, le premier art roman, caractérisé par la bande lombarde*, s'est propagé rapidement dans de nombreuses églises du monde méditerranéen, et plus tard de l'Europe orientale, à l'exclusion de l'Europe du Nord et de l'Ouest.

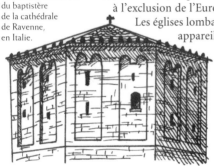

Les bandes lombardes du baptistère de la cathédrale de Ravenne, en Italie.

Les églises lombardes étaient bâties en petit appareil*, comprenaient un plan très simple à une ou trois nefs*, autant d'absides*, mais jamais de transept*. La voûte fut d'abord expérimentée dans les cryptes, puis sur les nefs. Les voûtes en berceau continu furent bientôt scandées par des doubleaux*.

Art monastique

L'abbaye de Saint-Germain-des-Prés, construite à partir de 990, est le point de départ de la construction monastique. Le plan bénédictin, marqué par la présence d'un déambulatoire* à chapelles rayonnantes, est développé à la fin du XIe siècle en l'église abbatiale de Cluny. En Bourgogne, la plupart des églises furent tributaires de cet édifice. Au-delà de la spécificité de chaque pays, l'unité de l'architecture des XIe et XIIe siècles est liée au rayonnement des ordres de Cluny et de Cîteaux, surtout en Angleterre, où l'architecture romane fut exclusivement importée par les moines. C'est néanmoins en France que les différentes écoles architecturales sont le mieux définies.

Croisades

L'architecture romane ne se limita pas à notre continent et se répandit sans altération stylistique jusqu'en Orient (Chypre, Syrie...) à l'occasion des Croisades.

les Grecs et les Romains | le roman | le gothique | la Renaissance

L'épanouissement

L'art roman s'épanouit au XIIe siècle et marque l'aboutissement des recherches du premier art roman. Par exemple, la maîtrise des procédés de voûtement permet de mieux éclairer la nef, tandis que la forme

Détail du portail de la cathédrale Sainte-Marie à Oloron-Sainte-Marie dans les Pyrénées-Atlantiques.

des piliers revêt une grande variété (à colonnes engagées, à pilastres*...). C'est alors qu'un type de sculpture, foisonnant d'animaux fantastiques, apparaît dans le décor des églises. En Languedoc, on trouve de grands portails sculptés à l'entrée des églises. À cette époque, les bâtiments construits en Île-de-France, une région plus ouverte aux innovations architecturales, marquent une véritable transition entre le roman et le gothique.

Particularisme local
Une des principales originalités des églises rhénanes est de présenter un plan comportant deux transepts, l'un à chaque extrémité de la nef.

Au Sud comme à l'Est

Cet art roman français fut diffusé jusqu'en Espagne par les routes de pèlerinage, et se teinta d'influence mozarabe*. En Italie, les écoles architecturales furent aussi diverses qu'en France, mais des caractéristiques communes telles que le campanile* isolé ou les arcatures extérieures scandant les murs sont directement inspirés des églises de Lombardie. L'art roman italien resta attaché aux lignes horizontales, propres à l'héritage antique. De luxueux décors en marbre polychrome caractérisent le roman florentin, tandis que, depuis Venise, la pénétration des influences byzantines (notamment l'utilisation de la loggia*), marqua plusieurs villes. L'Italie du Sud fit la synthèse des influences byzantines, musulmanes et normandes. En Allemagne, les cathédrales*, pour lesquelles l'accent est mis sur une architecture massive, comportent de nombreuses tours (à galeries étagées et bandes lombardes), dont deux de part et d'autre du chevet*, ainsi que de hautes nefs.

En dépit de l'unité que présente l'architecture romane, chaque pays a trouvé sa spécificité à travers sa propre perception artistique et dans certains endroits, la diversité s'est même établie au plan régional.

Architecture laïque

Les édifices publics de la ville romane sont peu nombreux, dans la mesure où celle-ci n'avait qu'un rôle et des dimensions modestes. Les quelques bâtiments parvenus jusqu'à nous ne donnent qu'une idée partielle de l'urbanisme roman, dans lequel les bâtiments, sombres et massifs, étaient rarement construits en pierre.

Les fenêtres d'une maison d'habitation : elles ont la forme de deux arcades en plein cintre s'appuyant sur une colonnette centrale ; elles sont surmontées d'un grand arc.

Absence de bâtiments propres à l'architecture municipale

L'architecture civile romane n'a laissé aucun bâtiment communal car les hôtels de ville, quand ils existaient, étaient d'anciennes maisons nobles construites sans destination particulière.

Une architecture sous influence

L'architecture civile et militaire romane fut complètement dominée par l'architecture religieuse qui lui imprima ses éléments de décoration, mais aussi de construction.

À une époque où l'on construisait avant tout pour Dieu, seuls les bâtiments civils ayant une justification forte, comme la défense, étaient jugés dignes d'une architecture soignée. Des considérations telles que celle du faste et du paraître ne devaient venir que plus tard dans l'architecture civile. Cette dernière profita des innovations réalisées dans l'architecture religieuse.

> **Des demeures encore incommodes**
>
> La clôture des fenêtres des maisons romanes consistait seulement en un volet de bois ou un rideau, sans châssis.

Les monastères

Les bâtiments civils de l'art roman sont relativement rares. Mais on peut tout de même assimiler à cette architecture civile, l'architecture conventuelle, de par sa fonction : elle comprenait toujours des dortoirs, un ou deux cloîtres, un réfectoire, des celliers et autres dépendances. Le couvent représentait la première forme exemplaire d'association du culte à la résidence. Dans ces monastères, les différences architecturales étaient le plus souvent liées aux règles régissant les ordres : les cisterciens bannissaient tout décor, alors que les bénédictins recherchaient dans leurs constructions la richesse décorative.

Les habitations

Les demeures urbaines sont les exemples conservés les plus nombreux. La maison romane typique comprenait le plus souvent une échoppe au rez-de-chaussée et une « salle » à l'étage. Les fenêtres, encore privées de vitraux, affectaient la forme de deux arcades en plein cintre s'appuyant sur une colonnette centrale, surmontées d'un grand arc. Les cheminées, très hautes, émergeaient des toitures, étaient souvent coiffées d'un cône et leur manteau présentait une hotte en forme d'entonnoir. Les plafonds laissaient apparaître les solives*.

Détail d'une maison à Cluny en Saône-et-Loire, où l'on voit bien la cheminée haute coiffée d'un cône, émergeant de la toiture.

Les châteaux

Jusqu'au début du XIe siècle, la plupart des châteaux étaient en bois ; le plus ancien donjon de pierre est celui de Langeais (994). Pendant plus d'un siècle, les châteaux ne furent composés que du donjon, tandis que le XIIe siècle vit l'apparition des tours rondes. C'est en Syrie que, durant les Croisades, les architectes militaires développèrent l'art des fortifications. Dérivé du *castrum* romain, le château, édifié sur un promontoire à des fins de défense et de surveillance, était à l'origine une enceinte fortifiée pourvue de portes, autour d'un donjon et d'un espace de campement. C'est seulement à la fin de l'époque romane que le château acquiert sa forme tripartite : le mur d'enceinte, entouré d'un fossé, muni de tours et de ponts-levis, le donjon abritant un refuge et le logis, isolé par un mur et relié au donjon par des coursives.

Mis à part les châteaux, les bâtiments monastiques représentent la plus grande partie des constructions ne faisant pas office de sanctuaires.

La croisée d'ogives et l'arc-boutant

L'élan vertical, typique de l'art gothique, semble être un défi aux lois de la pesanteur. L'arc-boutant et la croisée d'ogives ont permis d'amincir les murs, de hausser la voûte jusqu'à la limite du possible, et par là même d'illuminer l'intérieur des églises.

Croisée d'ogives.

La croisée d'ogives

La voûte sur croisées d'ogives, ayant pour but d'alléger le poids de la voûte, avait déjà été envisagée à l'époque romane, mais l'architecture romane est restée fidèle au plein cintre hérité de l'époque paléochrétienne. Une telle voûte est renforcée par des nervures que l'on nomme ogives, conduisant les poussées* vers les quatre points de retombée de la voûte. Cette dernière peut être parfois sexpartite, ce qui signifie que la croisée est complétée par une ogive intermédiaire : dans ce cas, les charges sont alors réparties différemment.

L'arc-boutant

Apparu vers 1180, l'arc-boutant est l'élément principal du système d'équilibre de l'architecture gothique : il enjambe les bas-côtés* pour recevoir la poussée de la voûte de la nef*. L'une des caractéristiques de l'architecture gothique étant la recherche constante de l'élévation des nefs, il fallait étayer ces dernières par des contrebutements* de plus en plus perfectionnés. En fait, les premières églises gothiques étaient liées à la vieille tradition romane qui jouait avec la masse du mur. Résistant à de fortes tensions,

Saint-Denis

Amorcée en 1135, la construction de Saint-Denis est l'acte de naissance de l'architecture gothique, et, selon la nouvelle doctrine, le dialogue privilégié avec Dieu ne revient plus à l'église monastique mais à celle qui vit au milieu des fidèles.

les Grecs et les Romains | le roman | le gothique | la Renaissance

l'arc-boutant permit à la nef de s'élever en s'appuyant sur les piliers soutenus et déchargés par les arcs extérieurs : le mur n'est plus un soutien mais une simple clôture.

La lumière

L'un des principaux objectifs de l'art gothique fut toujours la quête de la lumière, image même de Dieu. Grâce aux progrès techniques liés à la voûte sur croisées d'ogives et à l'arc-boutant, on a pu mettre en place des verrières historiées de plus en plus imposantes, tandis que l'on évidait de plus en plus le mur entre les piliers. Le pilier, remplaçant le mur porteur et s'élevant jusqu'à la voûte, enlevait au mur sa dimension statique. Du fait de l'élimination de la tribune* dont la profondeur créait un effet de clair-obscur, l'intérieur gagna encore en luminosité. La pénombre des églises romanes se trouvait donc remplacée par cette clarté si essentielle dans l'esthétique gothique. Les rosaces*, pouvant atteindre parfois jusqu'à dix mètres de diamètre, avaient pour but premier d'éclairer la voûte de la nef et du transept*.

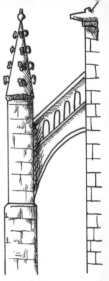

Arc-boutant.

Décor et raison

Les progrès techniques, liés à la voûte sur croisées d'ogives et à l'arc-boutant, tout comme la recherche de clarté, ne pouvaient conduire qu'à abandonner la confusion du décor roman peuplé de monstres. Au-dessus des portails gothiques, le thème du Jugement dernier dérive de l'art roman, mais la narration est réorganisée en un système rationnel.
Ainsi donc, la logique inhérente au plan impose aussi sa loi au décor.

L'église gothique est un système à l'équilibre parfait, les poussées sont contrebutées par l'arc-boutant et la croisée d'ogives est là pour alléger la voûte. Ce sens du rationnel, visible jusque dans le décor, a permis, grâce aux progrès techniques, d'inonder de lumière l'intérieur des sanctuaires.

Les cisterciens

Grâce au rôle très actif de l'ordre des cisterciens, l'architecture monastique forma une transition entre les styles roman et gothique.
En effet, dans un souci d'évangélisation, les cisterciens durent développer une architecture répondant aux besoins cultuels du temps.

Les grandes cathédrales (XIIe-XIIIe siècle)

Sur le chantier des grandes cathédrales, on s'employa au XIIe siècle à trouver une solution aux problèmes de statique, tandis qu'au siècle suivant c'est l'aspect décoratif des éléments architecturaux qui retint l'attention.

Géométrie

L'une des grandes ambitions de l'art gothique arrivé à sa phase classique était, qu'à partir du plus petit élément d'architecture, on puisse géométriquement saisir tout le système de construction.

Cathédrale de Chartres.

Le berceau

Contemporain de l'émergence du domaine royal capétien, c'est avant tout en Île-de-France que le style gothique s'épanouit à travers les cathédrales* de Laon, Arras, Sens, Senlis ou Paris, commencées entre 1125 et 1160. Toutes présentent des caractéristiques communes : une fois passée la façade à grands portails surmontés de tours symétriques, on note une élévation à quatre étages (les tribunes* servant à épauler la nef*), ainsi que la présence de voûtes sexpartites. Dans ces dernières, les piliers forts alternent avec des piliers faibles. Les premiers reçoivent les retombées de l'ogive principale et les seconds celles de l'ogive intermédiaire.

De rapides progrès

Dans un premier temps, l'arc en plein cintre, caractéristique de l'architecture romane, ne fut pas complètement abandonné, mais le pilier monocylindrique (et non plus carré) fit son apparition, tandis que les chapiteaux* à crochets (d'inspiration végétale) remplaçaient les chapiteaux historiés (représentant des personnages) typiquement romans. Les intérieurs passèrent de quatre types d'ouvertures à trois : jusque-là, les cathédrales* présentaient en effet quatre niveaux d'élévation (arcades, triforium*, tribunes, fenêtres hautes),

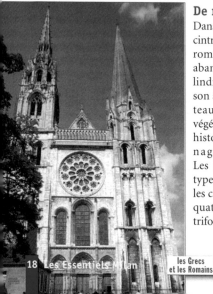

les Grecs et les Romains | le roman | le gothique | la Renaissance

mais l'amélioration du système d'arc-boutant permit de supprimer la tribune, servant jadis d'épaulement. Ainsi, l'effet d'horizontalité fut relayé par une verticalité de plus en plus évidente. La colonne centrale du pilier, montant d'un seul jet jusqu'à la voûte, marque en fait l'apogée de l'architecture gothique dans sa phase classique, au XIIIe siècle.

Classicisme

Avec son élévation à trois niveaux, Soissons représente l'un des premiers exemples du gothique classique, caractérisé par l'élan vertical. Construites au même moment, Chartres, Amiens et Reims marquent le point d'équilibre, de classicisme, de l'architecture gothique : ainsi, toutes les techniques sont maîtrisés et les maîtres d'œuvre ne recherchent pas encore la surenchère dans les dimensions et la décoration. À cette époque, l'arc-boutant permet d'équilibrer à la perfection les pleins et les vides.

Les fenêtres hautes s'allongent et la nef y gagne en lumière. Ainsi donc, dans l'architecture gothique, la période classique correspond avant tout à une épure, le style tendant à un élan vertical de plus en plus immatériel et détaché de toute notion de pesanteur.

Chartres

C'est en fait sur le chantier de Chartres, entre 1195 et 1220, qu'apparurent les grandes innovations du gothique classique. Faisant disparaître la tribune, l'arc-boutant devient le pivot de l'ensemble de la construction. Dans l'élévation à trois niveaux, les fenêtres hautes et les arcades sont de hauteur égale, tandis que grâce à ses quatre colonnes engagées, le pilier cantonné* permet de recevoir les poussées* des arcades et celles des doubleaux*.

Les limites

La dernière des grandes cathédrales dans l'esprit classique de Chartres est Beauvais, construite de 1225 à 1275. Trop haute, sa voûte s'écroula en 1284. Elle n'a jamais été achevée.

Plan en coupe de la cathédrale de Chartres.

L'art gothique a fait son apparition en tant que style autonome aux alentours de 1150, et c'est durant le XIIIe siècle qu'il connut sa phase d'équilibre avec les grandes cathédrales.

Le gothique international

À partir de l'Île-de-France,
l'architecture gothique
fit bientôt école
dans toute la chrétienté.
Grâce aux moines et aux princes de l'église,
l'influence à l'étranger fut très importante,
pour aboutir à un style résolument décoratif.

Abbaye de Westminster à Londres : détail de la voûte de la chapelle d'Henri VII (1500-1512). On voit ici un exemple de ce que l'on appelle le style « perpendiculaire », dernier état du gothique anglais.

Le gothique flamboyant

Ce style caractéristique de la fin de l'époque médiévale tire son nom de l'analogie existant entre le tracé des meneaux* et des nervures et les courbes d'une flamme. La place de plus en plus importante du décoratif et la systématisation de l'emploi de la courbe et de la contre-courbe marquent le gothique flamboyant. Son goût de la virtuosité trouva un terrain privilégié non plus dans les cathédrales*, mais dans les chapelles (Sainte-Chapelle de Vincennes ou de Paris), véritables « squelettes » de pierre garnis de vitraux. Les voûtes à nervures en étoile* ou à cellules* soulignent le tracé flamboyant de la dernière époque du gothique.

Au Nord

L'Angleterre a maîtrisé la croisée d'ogives en même temps que la France. Après un gothique primitif évoluant vers le classicisme (Westminster), on retrouve le même goût du flamboyant : système décoratif basé sur le jeu des horizontales et des verticales, et surtout un goût pour les voûtes au dessin foisonnant, la chapelle du King's College de Cambridge en étant un bon exemple.

À l'Est

À l'Est en revanche, l'architecture gothique n'apparut que tard, s'inspirant des réalisations françaises mais innovant aussi par le biais d'églises à trois nefs* d'égale hauteur.

Très longtemps, fidèle à l'héritage de la basilique* carolingienne, l'Allemagne resta fidèle à la pesanteur de l'architecture romane. La croisée d'ogives ne fut importée dans les terres germaniques que dans le second quart du XIIᵉ siècle, grâce au chantier de la cathédrale de Strasbourg. Néanmoins, il fallut beaucoup de temps pour que l'ogive arrive à jouer son rôle déterminant, c'est-à-dire alléger la structure de l'édifice.

Curieusement, l'architecture gothique s'imposa plus facilement aux frontières de la chrétienté, en Scandinavie et sur la Baltique (Saint-Nicolas à Wismar en Allemagne).

Au Sud

L'architecture gothique ne s'acclimata pas en Italie, trop imprégnée de la vieille tradition romane. Seules les églises dominicaines arrivèrent à introduire timidement les nouveautés françaises. Néanmoins, ces églises restèrent marquées par un sens de la polychromie typiquement roman, utilisant des assises de pierres de couleur, dimension décorative étrangère à l'art gothique. Dans leur disposition, ces pierres rappelaient, qui plus est, l'horizontalité du style roman, si éloigné de l'élan gothique. L'implantation des cisterciens eut lieu dès le XIIIᵉ siècle à Florence mais s'acclimata surtout à Sienne.

Après l'apogée de sa phase classique, le gothique ne connut pas d'inventions structurelles importantes : il ne s'enrichit plus que d'éléments décoratifs et de prouesses techniques.

Un architecte voyageur

L'architecte français Villard de Honnecourt (première moitié du XIIIᵉ siècle) fut un architecte itinérant. Son importance vient du fait notamment qu'il dessina le plan d'églises hongroises inspiré du style français.

Architecture civile et militaire

L'architecture civile est en grande partie représentée par les palais urbains et les châteaux.
Pour ces constructions, on utilisa différents matériaux.

Maison à colombages à Saint-Lizier en Ariège.

Plan type du château fort

C'est le roi Philippe Auguste (1165-1223) qui développa dans tout le royaume le plan du château quadrangulaire cantonné de tours, à la fin du XIIe siècle.

Les châteaux

Les châteaux appartenaient au domaine de l'architecture militaire, par définition plus conservatrice que l'architecture religieuse, pour d'évidentes raisons de sécurité. Surtout, cette architecture était radicalement opposée à l'esprit même du gothique, l'épaisseur de la muraille étant évidemment le meilleur garant de la sécurité de la place forte. Néanmoins, au cours de la longue période gothique, les châteaux évoluèrent de la forteresse austère et menaçante vers des demeures plus aimables et au décor foisonnant trahissant l'influence italienne.

les Grecs et les Romains | le roman | le gothique | la Renaissance

La pierre

À l'époque gothique, dans le domaine de l'architecture civile, ce sont surtout les maisons de corporations et les hôtels de ville qui furent dotés des architectures les plus remarquables. La pierre était le matériau privilégié pour magnifier ces architectures dans lesquelles on retrouve pratiquement tous les motifs décoratifs ornant les cathédrales*.

En Italie, le campanile* et les créneaux*, ornant toujours les hôtels de ville, rappellent encore les demeures nobles établies dès le haut Moyen Âge.

Au Nord, les hôtels de villes et maisons de corporations s'ornent d'un beffroi décoré de broderies de pierre et de clochetons et abritent des salles impressionnantes.

Bâtiments publics

C'est dans les Flandres que l'on peut trouver, de nos jours encore, les exemples d'hôtels de ville les plus remarquables, notamment à Arras.

Le colombage

Dans la majeure partie de l'Europe, surtout centrale et du Nord, le colombage* joua dans l'architecture civile, plus modeste, un rôle particulièrement important. Grâce à la construction en avancée des étages, il permet, en composant avec l'étroitesse des rues, d'agrandir les pièces. Néanmoins, ce système de construction était particulièrement fragile et n'a que rarement résisté, ce qui fait que la plupart des bâtiments gothiques à colombages que nous conservons datent du gothique tardif (XVe siècle).

Les ouvertures

À l'ère de lumière que fut le gothique, les ouvertures devinrent particulièrement importantes. Au début de la période, on retrouve la persistance de la fenêtre géminée* romane comportant une colonnette dans son axe et une petite ouverture au-dessus de l'arc de décharge. À l'époque du gothique flamboyant, la fenêtre est parfois divisée par des meneaux* de pierre, ou le linteau* est parfois orné d'une petite accolade*. Un grand arc en accolade surmonte en tout cas la composition. Les lucarnes sont, quant à elles, très ornées et sont dès cette époque des signes avant-coureurs du décor de la Renaissance.

Durant l'époque gothique, en opposition à la pierre jugée plus noble, le colombage était le mode de construction favori de la demeure bourgeoise. Alors que la pierre était réservée à la construction du château, édifice prépondérant à une époque d'insécurité.

Florence

La Renaissance, cette magnifique période qui a suivi le Moyen Âge et qui ne devait se terminer qu'à la fin du XVIᵉ siècle, est née à Florence, la plus importante des cours d'Italie. Elle s'est tout de suite caractérisée par un retour aux formes de l'Antiquité, qui, par la présence même des ruines, n'avaient jamais été oubliées.

Le palais florentin

Florence, ville de marchands, est une puissance financière. Ainsi, les mécènes attendent des architectes des bâtiments qui soient à l'image de leur fortune : le palais florentin en est le meilleur exemple.

L'héritage antique

Le Moyen Âge avait su créer un art totalement original, la Renaissance, dans son souci de retour à l'antique, voulut faire table rase des styles roman et gothique. Mais il y eut une période de transition durant laquelle les éléments antiques furent mêlés aux éléments gothiques.

Sûrs de leur prospérité et donc libres de se lancer dans des spéculations intellectuelles, les Florentins sont certains de pouvoir égaler les Romains. L'univers des formes puisé dans l'Antiquité est perfectionné par les innovations techniques. Ainsi, l'étude rationnelle de la perspective aboutit chez les architectes à une perception radicalement nouvelle de l'espace : la rigueur géométrique est censée engendrer un espace idéal. L'étude minutieuse de l'architecture antique entraîne peu à peu une parfaite compréhension de ses éléments constitutifs.

Le palais de la Seigneurie à Florence, bel exemple d'ouvrage urbain.

Caractéristiques

Au monde fantastique et mystique de l'époque médiévale se substitue le rationnel. Tout est recherche de clarté et de cohésion. La colonne remplace le pilier sans base ni chapiteau* du gothique tardif, l'arc en plein cintre se substitue à l'ogive. Les bâtiments présentent le rythme rigoureux des entrecolonnements, des loggias* et des portiques*, typiques du XVe siècle. L'harmonie des proportions devient une priorité absolue, en accord avec l'importance capitale que prennent en esthétique le nombre et la géométrie. Tout devient articulation logique : colonne, linteau*, entablement*, fronton*. Exemple parmi d'autres, le palais abandonne définitivement le modèle de l'ancienne maison-tour, pour adopter un dessin régulier autour d'une cour et renouer avec l'usage gréco-romain des pierres de parement.

Dôme de la cathédrale de Florence, réalisé par l'architecte Brunelleschi.

Brunelleschi

C'est grâce à ses études sur la voûte romaine (notamment celle du Panthéon de Rome) que l'architecte Brunelleschi put, à partir de 1420, mettre en place la célèbre coupole de la cathédrale* de Florence. Cette construction fit de la ville la capitale de l'architecture du XVIe siècle. Dans ses églises, il reprend le vieux plan en croix latine et utilise le plan carré de la croisée des axes comme unité de référence. Tout est désormais soumis à une analyse mathématique et Brunelleschi remplace le rectangle médiéval par la forme parfaite du carré ou du cube.

« La beauté est l'harmonie et l'accord des parties entres elles... »
Alberti,
De Re aedificatoria,
(1450-1472).

Alberti

De son côté, Alberti (v. 1404-1472) imposa en architecture les grandes caractéristiques de l'Antiquité : soubassement, frontons, pilastres* et colonnes. Fasciné par la beauté, il établit une relation entre l'architecture et la société : il fait de la colonne une allégorie de l'homme et lui donne la première place dans le nouveau répertoire architectural. Il fut le premier théoricien de la Renaissance, jeta les bases de l'architecture moderne et chercha avant tout l'unité, considérée comme but ultime de l'architecture.

La république de Florence édifia au XVe siècle une série d'ouvrages urbains qui firent de la ville la figure de proue de l'architecture de la Renaissance, grâce notamment à de grands architectes tels Brunelleschi et Alberti.

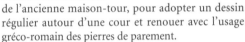

Maturité du style

À la différence du Moyen Âge, marqué par l'énergie collective des bâtisseurs, la Renaissance est caractérisée par la recherche individuelle, la sensibilité créatrice d'un seul individu, même si tous cherchent un appui dans les leçons de l'Antiquité.

Le contexte

Au XVIᵉ siècle, grâce au mécénat des papes et des nobles, les architectes trouvèrent à Rome les moyens de réaliser leurs chefs-d'œuvre. Les architectes voulurent créer des espaces à la mesure de l'homme, soumis à des impératifs esthétiques et pratiques. L'époque permettait l'épanouissement de l'originalité et de l'esprit d'indépendance des artistes, rapidement reconnus.

Codification

Le rôle du XVIᵉ siècle fut de codifier l'architecture inventée au siècle précédent. À la Renaissance, le premier outil du dessin d'architecture est le rapport de proportions pris sur l'anatomie humaine, strictement codifié par Alberti et repris par Léonard de Vinci. Les architectes s'employèrent à établir un « vocabulaire », des modèles servant d'exemples types. Il s'agit réellement de l'élaboration d'un langage architectural, de la mise sur le papier des principes idéaux et de leur organisation logique. En découleront beaucoup de traités, manuels présentant sous forme de répertoire des exemples d'une grande clarté architectonique.

Le *Tempietto*

Grâce à son style noble et imposant, Bramante conféra à Rome au XVIᵉ siècle le rôle qui avait été celui de Florence au siècle précédent. Avec son *Tempietto* de San Pietro in Montorio (1502), Bramante reproduit le plan d'un temple rond antique, plan qui sera déterminant pour l'avenir. Avec la dignité monumentale d'un temple classique, le *Tempietto* matérialise à lui seul l'esprit des architectes de la Renaissance qui cherchaient à re-créer le style et l'esprit de l'Antiquité. Non seulement les ordres antiques sont correcte-ment compris, mais ils s'articulent de manière totalement ration-nelle avec les volumes et l'ordonnance des façades. Ce bâtiment scelle la consécration d'un canon* et est la première matériali-sation de la codification évoquée plus haut.

Le *Tempietto* de San Pietro in Montorio, sur la colline du Janicule à Rome.

Le siècle des grands architectes : la dynastie des Sangallo

Antonio da Sangallo dit l'Ancien (1455-v.1535) est l'exemple type de ces fortes personnalités d'architectes telles qu'en connut tant le XVIᵉ siècle. Héritier d'une dynastie d'architectes florentins qui avaient participé à la grande aventure architectu-rale du *Quattrocento* au XVᵉ siècle, il commença la construction du palais Farnèse à Rome en 1514. Cette édifice présente dans sa cour intérieure la superposition classique des trois ordres*, solution qu'il reprit en 1528 pour l'église San Biagio de Montepulciano.

Neveu du précédent, Antonio da Sangallo le Jeune (1483-1456) construisit pour le le pape Paul III la cité de Castro en Ombrie. Malheureusement, ce bel exemple de ville de la Renaissance, parvenue à sa maturité architecturale, fut rasé sur l'ordre du pape Innocent X, jaloux de son prédécesseur.

Au XVIᵉ siècle, l'anonymat des architectes médiévaux est terminé : l'architecte devient un artiste flatté par des papes aux goûts profanes cherchant à s'entourer des esprits les plus éclairés de leur temps.

Le maniérisme

Alors que l'équilibre et l'harmonie étaient les caractéristiques mêmes de la Renaissance, à la maturité de ce style, les architectes ne se contentèrent plus de ces qualités et pervertirent les règles classiques pour insuffler une nouvelle énergie.

Palladio

De son côté, aussi expressif et pittoresque que les autres architectes maniéristes, le célèbre Palladio (1508-1580) s'attacha à un sujet architectural tout à fait différent des palais urbains et des églises : la maison de campagne ou villa. La popularité rencontrée par les modèles qu'il dessina fit de lui l'un des architectes les plus célèbres du XVIᵉ siècle et des siècles qui suivirent.

Un mouvement

Durant la seconde moitié du XVIᵉ siècle, tout en admirant la génération précédente, les jeunes architectes développèrent un code de règles personnelles et c'est surtout à travers le dessin que s'exprimèrent ces personnalités, transposant de façon subjective les règles classiques. L'inspiration personnelle prend le pas sur le respect des canons* et des règles. La conjonction de tant de réactions similaires chez les jeunes architectes s'explique en grande partie par le choc terrible du sac de Rome (1527), qui voit mourir l'idéal d'équilibre de la Renaissance classique.

Le palais du Té

Le palais du Té de Mantoue, construit par Giulio Romano, est l'archétype du palais maniériste : architecture faite de tension et d'opposition systématique des matériaux entre eux.

Le style

Ce dernier, d'une extrême richesse, se caractérise par une mise en évidence de la pesanteur et des forces

La place du Capitole à Rome.

régissant l'architecture. Les masses sont accentuées afin de donner une plus grande expressivité à l'architecture, tandis que les composants architecturaux sont inversés. Dans cet art plein de mouvement, le but est de susciter la surprise, grâce à la dissonance et à des juxtapositions devant apparaître comme l'objet du hasard. La décoration n'est plus seulement un traitement de surface mais fait partie intégrante de l'architecture, tandis que la lumière joue un rôle théâtral.

Façade de l'église du Gesù à Rome.

Michel-Ange

Il est l'exemple type de l'architecte maniériste, qui ne laisse aucune règle entraver son imagination. Dans le réagencement de la place du Capitole de Rome, après 1539, il crée l'ordre* colossal, inconnu sous l'Antiquité ; ce dernier relie deux étages par une haute colonne et utilise la divergence des côtés de la cour pour fausser la perspective et rendre la mise en scène plus dramatique. Ailleurs, il modifie totalement la proportion des éléments architecturaux, empile ou brise les frontons*, ne tolérant aucune convention.

Architecture politique

Avec le concile de Trente (1545-1563), l'église utilise le style maniériste comme outil de propagande contre le protestantisme, mettant ainsi en scène la religion à travers la liturgie. L'église du Gesù de Rome (1568-1575) fut construite par l'architecte romain Vignole (1507-1573). Elle est le premier exemple du style « jésuite » et influença énormément les églises baroques, autant par son aménagement que par l'architecture de sa façade, comportant un premier étage plus étroit que le rez-de-chaussée et flanqué d'énormes consoles*. Pas moins de cinq frontons curvilignes et triangulaires marquent l'axe central !

Dans le courant du XVIe siècle, un art de subjectivité et de dissonance apparut, s'opposant au classicisme et à la rigueur de la Renaissance, telle que l'avaient définie les artistes florentins. Il eut notamment une grande influence sur l'art religieux.

Rayonnement de la Renaissance

La Renaissance s'est étendue à toute l'Europe et chaque pays l'a assimilée différemment, selon sa tradition artistique et sa sensibilité.

Les modèles romains

À partir des modèles romains, toutes les cours européennes acquirent leurs lettres de noblesse au travers des éléments de l'architecture antique, comme par exemple François Ier avec Fontainebleau.

La France : première Renaissance

La Renaissance gagna la France à la faveur des guerres d'Italie qui, à la fin du XVe siècle, permirent de faire connaître l'art italien. Le style gothique tardif régnant encore, on se contenta lors de la « première Renaissance », de plaquer des éléments décoratifs « à l'antique » sur les hautes structures traditionnelles. Ces éléments consistaient en pilastres*, médaillons, rinceaux*, arabesques, corniches et chapiteaux*, pour l'instant éloignés des modèles antiques. Ces éléments étaient alors librement inspirés de l'architecture italienne. L'ordonnance des façades devint peu à peu régulière, mais les différences climatiques en modifièrent le style : grands toits très en pente en France du fait de la neige et des fenêtres plus grandes pour avoir plus de lumière ; disparition des loggias* que l'on trouvait en Italie.

La France : seconde Renaissance

Après l'arrivée de l'architecte italien Serlio qui publia en 1541 un traité théorique d'architecture en huit livres, les architectes français commencèrent à innover dans l'architecture de style Renaissance. Des architectes tels que Philibert de l'Orme accordèrent enfin une place décisive aux éléments antiques. Désormais, sur les façades symétriques, les ordres* sont correctement superposés, du plus lourd (dorique) au plus fin (ionique) puis au plus décoré (corinthien). Les cariatides* et les cartouches* confèrent de plus en plus de noblesse aux ordonnances.

Le rôle de l'imprimerie

À la faveur du développement de l'imprimerie, les architectes de toute l'Europe purent connaître les écrits de Vitruve, architecte de l'Antiquité romaine, ou du Florentin Alberti (1404-1472).

Au Nord

L'Angleterre accueillit d'abord des architectes étrangers et fut très influencée par les théories de Vitruve

L'imposant monastère de l'Escurial, situé sur les contreforts de la sierra de Guadarrama dans la province de Madrid. Ce bâtiment fut édifié de 1563 à 1584 par l'architecte Juan Bautista de Toledo ; puis à sa mort en 1567, c'est son assistant Juan de Herrera qui termina les travaux. Cet édifice, commandé par Philippe II, est bâti dans un style austère que l'on nomme *desornamentado*.

(Ier siècle avant J.-C.) et de Palladio (1508-1580), intégrant le principe de la superposition des ordres. Néanmoins, comme dans les autres pays, l'architecture de la Renaissance ne fut d'abord qu'un placage de décors à l'antique sur des structures gothiques, où dominait le motif de cuir*. C'est avec Inigo Jones (1573-1652) que la Renaissance anglaise entra dans sa phase décisive : fasciné par Palladio, il maintint deux siècles durant l'architecture anglaise dans le style classique du maître italien.

Au Sud et à l'Est

L'architecture de la Renaissance gagna l'Espagne sous le règne des Habsbourg et le style superposa d'abord des structures gothiques avec une ornementation reprenant certaines formules de la Renaissance italienne. Puis le style préclassique et rigoureux de l'Escurial marqua l'architecture religieuse jusqu'en 1650. L'Allemagne opposa d'abord une longue résistance à l'architecture de la Renaissance, à l'exception des provinces du Sud, proches de l'Italie. Après 1550 seulement, l'architecture allemande plaque sur l'architecture traditionnelle des décors copiés du nord de l'Italie. Les pignons* demeurent mais on les couvre de pilastres et de volutes*. Les églises s'inspirent de celles du Gesù de Rome mais la surcharge décorative se démarque du pur classicisme italien.

Pour tous les pays d'Europe, l'architecture de la Renaissance, partie d'Italie au XVe siècle, transforma d'abord simplement le décor, sans concerner la structure des bâtiments. C'est seulement dans un second temps que les préceptes de la Renaissance italienne furent interprétés de manière cohérente.

L'art de la ligne

Le baroque est avant tout un art de la mise en scène théâtrale. Les éléments de la Renaissance sont utilisés dans un véritable paroxysme théâtral.

Le style

Le baroque est un style souple, mouvementé et voluptueux qui, bien que s'inspirant des formes traditionnelles, leur donne une géométrie dynamique. Les principes classiques de la Renaissance, pleinement assimilés, peuvent donc être manipulés. Désormais, rien ne compte plus que l'élan ascensionnel qui anime les façades. Déclamatoire, l'architecture baroque est une surenchère de surcharge, d'oppositions, de dynamisme et d'illusion d'optique. Le plus souvent, contrairement aux préceptes de l'architecture de la Renaissance, la façade n'a pas de lien logique avec les structures internes des bâtiments.

Le Bernin (1598-1680)

Artiste baroque par excellence : architecte, sculpteur, peintre, décorateur.
Il fut le brillant metteur en scène des grands décors baroques.
Si c'est surtout son nom que l'histoire a retenu, il ne faut pas oublier celui de son éternel rival, l'architecte Borromini, auquel il disputa de nombreux chantiers.

GIO. LORENZO BERNINI
SCULTORE, ARCHITETTO, PITTORE

La courbe et le mouvement

Copiant la sculpture, les lignes ondulent et se dilatent à loisir : comme dramatisée, toute l'architecture semble se mettre en mouvement. La coupole, l'ovale et le cercle jouent un rôle privilégié et ce dernier remplace dans les églises le plan en croix grecque. Dans les édifices à plan centré, le cercle se déforme en ellipse. Omniprésente, la colonne torse permet de multiplier les effets de lumière et d'accentuer le mouvement ascensionnel. Évidemment, cet art très plastique raffolait des saillies* et multipliait les frontons* brisés.

Art total

Pour arriver à ce prodige, toutes les techniques viennent épauler l'architecture, comme la peinture en trompe-l'œil, le vitrail et le stuc*. Les matériaux les plus divers tels que le bronze, les dorures et le marbre sont souvent associés pour accentuer l'effet illusionniste de l'architecture. En fait, cette expérimentation forcenée vient de la prise de conscience des forces encore inemployées que recelaient les formes de la Renaissance. D'ailleurs, l'effet monumental de l'architecture baroque vient en grande partie de la concentration et de la juxtaposition de différents matériaux.

L'église baroque

L'architecture des églises baroques est un prolongement direct des églises de la Renaissance et au premier chef de l'église jésuite du Gesù à Rome (voir pp. 28-29). Le plus souvent, la coupole de la croisée devient proprement gigantesque et la nef* voûtée en berceau accapare l'essentiel de l'espace. De leur côté, le transept* et les bas-côtés* perdent beaucoup de leur ampleur et ne servent plus qu'à abriter dans une pénombre théâtrale les chapelles.

En ce qui concerne l'extérieur, la façade prend une importance de plus en plus exclusive et se pare de motifs sculptés. D'autre part, elle n'est plus jamais plane et se couvre de courbes dynamiques.

La technique au secours de l'architecture

Les découvertes, telles que le calcul infinitésimal ou la géométrie projective, permirent de développer de nouvelles expériences architecturales et de résoudre les problèmes techniques les plus difficiles.

Le baroque est en grande partie une réaction contre l'austérité classique du XVIe siècle.

Rome et le baroque

L'architecture baroque est née à Rome au début du XVIIe siècle et y connut sa pleine expression. Rompant avec l'académisme et la sévérité de la Renaissance, ce style incarna dans la Ville éternelle la réaction de l'Église contre le protestantisme.

Privilèges

Grâce aux relations privilégiées qu'il entretenait avec le Pape Urbain VIII, Le Bernin put dominer la scène architecturale romaine jusqu'en 1630.

L'Église

À la différence de l'architecture de la Renaissance, le baroque se met au service de l'Église qui remplace en tant que mécène les banquiers des deux siècles précédents. Dans sa lutte contre les protestants, l'Église catholique croit à la force d'émotion de l'art et sait que le dogme doit s'incarner en une architecture puissante. Mais cette architecture doit toucher tous les fidèles et c'est la raison pour laquelle, loin d'être une architecture ouvertement intellectuelle, elle privilégie avant tout l'émerveillement et la surprise.

Respect des traditions

À Rome, malgré sa véhémence, l'architecture baroque resta attachée plus que partout ailleurs en Europe à la tradition classique dérivée d'Alberti et de Brunelleschi. La démesure, qui devait triompher en Allemagne, n'exista jamais à Rome où les décors les plus mouvementés étaient réservés aux intérieurs. Le Bernin introduisit un nouveau sens du volume, par opposition à l'architecture lisse et plane de la Renaissance. Son apport consista par rapport à l'architecture du XVIe siècle en des solutions géométriques et spatiales particulièrement dynamiques et en des dilatations d'éléments d'architecture (Saint-André du Quirinal à Rome en est un bel exemple).

La façade de l'église Saint-Charles-aux-Quatre-Fontaines.

Saint-Charles-aux-Quatre-Fontaines

L'église Saint-Charles-aux-Quatre-Fontaines de Borromini (1638-1667) passe à juste titre pour l'un des bâtiments phare du baroque, puisque le mouvement triomphe sur une façade

les Grecs et les Romains | le roman | le gothique | la Renaissa

construite à partir de plans concaves et convexes et paraissant onduler. On se trouve confronté à une rupture des frontières de l'espace et de la forme et à un éclatement des points de fuite, qui se multiplient dans une recherche d'espace dynamique. On voit bien ici que l'effet monumental du baroque découle essentiellement de la concentration et de l'accentuation d'éléments dont les lignes de force tendent vers le haut.

Plan ovale

Courant à l'époque baroque à Rome, le plan ovale fait disparaître le plan cruciforme traditionnel basé sur l'imbrication de deux espaces perpendiculaires.

Saint-Pierre de Rome

Toute l'architecture baroque est comme résumée dans la basilique Saint-Pierre de Rome construite par Michel-Ange (Michel-Ange a repris en l'améliorant le projet de Bramante) : ce sont des formes circulaires ou semi-circulaires qui définissent le plan en croix grecque. La coupole (102 mètres de haut !) accapare l'essentiel du plan, au volume démesuré. Les ouvertures comme les décors ménagent d'importantes ombres accentuant la puissance de la façade. De même, le contraste entre la coupole et la façade exagérément allongée, comme l'opposition entre l'attique* peu élevé et l'ordre* colossal, confirment cet esprit. Les colonnades* réalisées par Le Bernin unissent l'église à la ville et prolongent le volume de la nef*.

Tous les architectes qui œuvrèrent à Saint-Pierre de Rome, à cheval sur les XVIe et XVIIe siècles, conservèrent à l'édifice son esprit baroque.

À Rome, l'architecture baroque, au service de l'Église, représenta la recherche d'une nouvelle vision de l'Antiquité et une réaction face au classicisme qui voyait dans le statisme et la sobriété l'expression même de la perfection.

d'ensemble de la basilique
e la place Saint-Pierre de Rome.

Un style européen

L'architecture baroque se développa dans les différents pays d'Europe avec des particularismes liés aux styles nationaux.

Le château de Schönbrunn, situé non loin de Vienne en Autriche. Ce bâtiment, réalisé à partir des plans de l'architecte Johann Fischer von Erlach, fut la résidence d'été des Habsbourg.

En France

En France, le baroque est venu d'Italie, à la fois grâce à la renommée des artistes italiens et à l'influence subie par les artistes français ayant fait le voyage à Rome. Il se combina avec l'art classique pour donner un style dont le meilleur exemple est le château de Versailles. Néanmoins, auparavant, sous Louis XIII, cette influence baroque s'était d'abord fondue dans la tradition de la Renaissance locale pour donner un style aux formes outrancières, aux moulurations exagérées et à la décoration luxuriante. Plus peut-être qu'en Italie, cette période d'avant la fusion avec l'art classique se caractérise par un détournement systématique des formes de la Renaissance, par exemple le fronton*, élément plein dans l'architecture de la Renaissance et qui devient systématiquement brisé dans le décor des architectes français.

Un art hégémonique

Grâce à l'amélioration des voies de communication mais aussi à la diffusion de plus en plus large de gravures d'architecture ou d'ornementation, l'architecture baroque déferla sur toute l'Europe, séduisant particulièrement les souverains des multiples petits états émaillant alors l'Europe. Durant presque cent cinquante ans, ce style et son avatar*, le rococo* (de 1730 à 1780), influencèrent la construction de palais démesurés qui se reflétaient de manière théâtrale dans des bassins animant des parcs gigantesques. Les lignes mouvementées et sinueuses sont encore celles du baroque mais à la majesté de l'architecture romaine succède une délicatesse un peu mièvre, et, surtout, la symétrie disparaît.

Le rococo

Dans le courant du XVIIe siècle, l'architecture baroque s'était propagée de l'Italie vers l'Europe centrale, l'Autriche et l'Allemagne du Sud pour se métamorphoser au début du XVIIIe siècle en style rococo. Ce style, qui apparaît comme une résurgence du baroque, se caractérise par des courbes et des contre-courbes asymétriques. Elégante et précieuse, l'architecture rococo naquit en fait de l'influence des arabesques dessinées par les ornemanistes français, tels Pillement ou Berain. Le style viril du Bernin se transforma en Allemagne en un style plus léger et gracieux. La surcharge décorative et l'exubérance submergèrent les églises aussi bien que les palais, rayonnant jusqu'en Bohême et en Autriche. Cependant, par son outrance même, ce style eut une vie éphémère et ne résista pas à la mode néoclassique.

Au Sud

Alors qu'on aurait pu s'attendre à ce que le baroque séduise la sensibilité espagnole, l'architecture de ce pays resta hostile à l'exagération et ce n'est qu'assez tard que les dissymétries du rococo apparurent dans l'architecture des palais royaux. Le baroque espagnol se caractérise tout de même par une débauche d'ornements, qualifiée de style « churrigueresque » – de l'architecte José Benito Churriguera (1650-1723) – et qui envahit de manière apparemment anarchique tous les éléments de la construction.

Rococo en Autriche

Les deux grands architectes du rococo autrichien, Johann Fischer von Erlach (1656-1723) et Johan von Hildebrandt (1668-1745) ont tous les deux étudié à Rome.

C'est en Allemagne et en Italie, où s'était facilement acclimatée l'architecture baroque, que le style rococo trouva le plus large écho.

La rocaille

La France ne fut jamais en architecture une terre de sensibilité baroque et le style rocaille, délicat et mesuré, est la seule concession de notre pays à l'art baroque.

Un exemple parisien de plan rocaille

À Paris, dans l'hôtel Amelot de Gournay, l'architecte Germain Boffrand parvint vers 1710 à se jouer du classicisme en implantant un plan en ovale dans une étroite parcelle rectangulaire.

Persistance du classicisme

L'architecture française de la première moitié du XVIIIe siècle est essentiellement le prolongement du siècle précédent, ceci en grande partie du fait d'un système académique et de l'existence de véritables dynasties d'architectes, comme celle des Mansart, que l'on trouve sous le règne de Louis XIV. Les grands programmes continuèrent la tradition du classicisme à la française et la seule influence baroque sur l'architecture française fut le style rocaille, un infléchissement momentané du classicisme du Grand Siècle.

Le style

Au-delà de la simple architecture, le style rocaille s'applique à un style ornemental très à la mode en France dans la première moitié du XVIIIe siècle et caractérisé par des courbes et des contre-courbes asymétriques ; il peut apparaître comme un timide alter ego du rococo*, triomphant alors en Allemagne, mais les deux styles étaient d'un esprit différent. Appelé à influencer le rococo d'Europe centrale, l'architecture rocaille fut toujours caractérisée par une mesure et une légèreté inconnues alors dans les autres pays. La liberté des lignes et des formes n'alla jamais en France jusqu'à l'outrance.

Le répertoire

L'architecture rocaille s'appuie avant tout dans ses décors sur les arabesques des ornemanistes et l'origine de tout est dans les décors de Bérain, dont Jean Le Pautre s'inspira vers 1699 pour les décors de Versailles. Sous la Régence, dans la pierre aussi bien que sur les boiseries, on vit se développer

les Grecs et les Romains | le roman | le gothique | la Renaissan

La place Stanislas
et les grilles de Jean Lamour
à Nancy.

le thème des guirlandes, des fléchés, des amours ou des coquilles. Le dessin géométrique était de plus en plus contrarié par des moulures sinueuses.

Les places royales

Les grandes places royales de cette époque, Rennes (1730), Bordeaux (1730) sont des hommages directs à l'architecture classique de Jules Hardouin-Mansart, concepteur de la place Vendôme (1699).

Un exemple insigne

La place Stanislas de Nancy (1752-1760), de l'architecte Héré, est le seul témoignage en France de l'application du style rocaille à un ensemble urbain. On note également les superbes grilles de Jean Lamour. Ailleurs, comme à Bordeaux, les grands ensembles urbains restèrent imprégnés du souvenir de Versailles et de la colonnade* du Louvre. En revanche, derrière les façades, l'architecture intérieure a grandement évolué dans le sens de la recherche obsessionnelle d'un plus grand confort. Les plans sont conçus de manière beaucoup plus libre, afin de permettre à chaque pièce d'avoir une forme mieux adaptée à sa destination.

L'architecture rocaille reprenait dans le décor le goût de la courbe initié par l'art baroque. Elle resta dominée par un courant général d'inspiration classique, ne fut jamais un style concurrent du baroque, mais au contraire une délicieuse tentative d'assouplissement.

Le classicisme français

L'architecture française classique est issue de l'admiration et de l'inspiration de l'Antiquité. Inventée pour magnifier la gloire du Roi-Soleil, cette architecture rayonna en fait dans toute l'Europe.

Château de Versailles.
Au premier plan, une statue allégorique représentant une rivière.

Un style chronologiquement défini

L'architecture classique se développa en France à partir de 1660, durant le règne du Roi-Soleil et son esprit d'équilibre fut le reflet de la puissance de la France à cette époque. Cette architecture est celle qui se rapprocha le plus des canons* grecs et romains, reconnus alors comme des références idéales. Cette période s'étend du dernier quart du XVIIe siècle au second quart du XVIIIe siècle. La référence à l'Antiquité et au classicisme de l'architecture de la Renaissance furent à l'origine de ce mouvement épris d'harmonie, de sobriété et de mesure.

L'Académie d'architecture

La fondation en 1670 de l'Académie d'architecture dirigée par François Blondel, permit de codifier les règles du classicisme français, véritable architecture militante, comme l'architecture baroque l'avait été à sa manière.

Les caractéristiques

Le style classique se base avant tout, comme l'art de la Renaissance auparavant, sur une étude

les Grecs et les Romains | le roman | le gothique | la Renaissan

Doctrine architecturale

S'appuyant sur de vagues traités, l'architecture française ne possédait pas de doctrine avant qu'en 1650, Fréart de Chambray ne fit paraître son *Parallèle de l'architecture antique avec la moderne,* qui proposait l'Antiquité comme modèle.

rationnelle des proportions héritées de l'Antiquité. Il recherche les compositions symétriques aux lignes nobles et simples, l'équilibre et la sobriété dans le décor. Éprise d'un idéal d'ordre et de raison, l'architecture classique visait non seulement à réagir contre les abus et les tumultes de l'architecture baroque, mais aussi à susciter un état d'esprit, à développer un style architectural répondant à la grandeur du règne du Roi-Soleil.

Le rayonnement

L'influence de l'architecture des châteaux tels que Versailles, Trianon, Marly ou Vaux-le-Vicomte eut un énorme retentissement dans les pays étrangers et témoigne de la formidable influence de la monarchie française. Ce rayonnement n'était que le prolongement de l'influence de Paris sur certains grands ensembles monumentaux urbains, tels que Bordeaux ou Lyon. Le classicisme survécut d'ailleurs à l'art rocaille, style parallèle, apparu après 1715 ; il traversa tout le XVIIIe siècle à la faveur de différents monuments pour réapparaître sous la forme renouvelée du néo-classicisme.

L'exemple de Hardouin-Mansart

Architecte d'une grande partie de Versailles, Jules Hardouin-Mansart (1646-1708) fut peut-être celui qui donna à ce style sa dimension la plus ample et la plus grandiose, propre à magnifier la personne royale. Tributaire de l'esprit baroque dans son décor mais éminemment classique dans ses grandes lignes, Versailles est une mise en scène grandiose dont le style se veut impérissable. Mansart y manifesta son goût alors typiquement français pour les grandes masses harmonieusement équilibrées. Ici, point de fantaisie, mais la noble rigueur des ordres* antiques.

L'architecture française classique est nourrie des proportions harmonieuses de l'Antiquité. Sa perfection se veut avant tout le reflet de l'équilibre prospère de la France de la première moitié du règne de Louis XIV.

Retour à l'antique : l'Europe classique

Au milieu du XVIIIe siècle, du fait notamment du rationalisme prôné par le Siècle des lumières, le style de la Régence et celui du règne de Louis XV, considérés comme trop gracieux, passèrent de mode au profit d'un style nouveau. Ce style, classique, mais différent de celui du règne de Louis XIV, s'appuie cette fois sur l'archéologie.

L'hôtel Tabary

Superbe exemple, choisi parmi les nombreux hôtels que construisit Claude Nicolas Ledoux (1736-1806) pour une clientèle éprise d'architecture « à l'antique » et souhaitant des demeures rappelant la noblesse de l'architecture gréco-romaine. Malheureusement, la plupart d'entre elles disparurent mais le relevé de la façade de l'hôtel Tabary témoigne d'un style en quête de lignes sévères et d'éléments puisés dans le répertoire antique.

Rome

Rome était au XVIIIe siècle un centre cosmopolite et un véritable laboratoire pour la création de formes architecturales. C'est dans la Cité éternelle que naquit le courant néoclassique dont l'initiateur fut l'allemand Winckelmann (1717-1768) qui préconisait l'imitation de l'art antique. De plus, l'art grec fut alors révélé à la suite de voyages d'étude en Grèce et en Asie Mineure. Toutes ces découvertes se conjuguèrent à l'influence de Palladio. Ainsi, après les recherches empiriques de la Renaissance qui négligeaient toute exactitude archéologique, après le classicisme français avant tout en quête d'équilibre et ne reproduisant que le décor de surface des bâtiments antiques, le néoclassicisme est le premier style à ressusciter l'Antiquité dans sa vérité.

Les motivations

L'architecture néoclassique est conforme aux idéaux classiques des architectes français du XVIIe siècle et correspond à une volonté de rayonnement international et de grandeur. C'est pour cela que les bâtiments de cette époque privilégient la noblesse et l'élégance. La découverte de l'art grec remonte au XVIIe siècle

Gravure de Ledoux représentant l'hôtel Tabary, jadis au n°59 de la rue du faubourg-Poissonnière, à Paris.

—

puisque c'est à ce moment-là que les premiers artistes occidentaux allèrent en Grèce faire des relevés précis des monuments antiques, dans une volonté de s'inspirer des modèles architecturaux les plus purs, avant même qu'ils ne soient copiés par les Romains. Cette quête des érudits du XVIIIᵉ siècle fut une démarche éprise d'idéal tendant à remonter aux origines de l'art.

Un style fait de nuances

Initié à la fin du règne de Louis XV, le style Louis XVI fut un retour pur et simple à l'antique et Paris devint le foyer néoclassique le plus important en Europe. La France du dernier quart du XVIIIᵉ siècle déclina en fait le retour à l'antique sur différents modes. Certains artistes développèrent une architecture sévère et virile, faite de volumes simples et d'appareils puissamment rustiques, comme ce fut le cas de Ledoux. Au contraire, d'autres architectes aux audaces mesurées restèrent fidèles au classicisme de Hardouin-Mansart, mais assimilèrent le décor gréco-romain avec ses consoles* sévères ornées de cannelures, ses guirlandes de feuilles d'olivier, de laurier ou de chêne, ou ses « trophées » représentant des instruments tantôt guerriers, tantôt liés aux arts.

La diffusion

Bientôt, l'Europe et l'Amérique se couvrirent de monuments doriques et ce déferlement toucha tout particulièrement l'Allemagne où, à Munich, l'architecte Leo von Klenze construisit un ensemble architectural pastichant sans ambiguïté l'Antiquité, dont la belle « Glyptothèque ». Mais aucun autre pays ne fut laissé en reste, de la Russie à l'Angleterre où d'ailleurs, très tôt, l'influence de l'architecture très classique de Palladio avait préfiguré le mouvement.

L'épuisement d'une formule

Sous l'Empire, les architectes Fontaine et Percier firent évoluer le dépouillement originel de l'architecture néoclassique vers une véritable pauvreté décorative qui ne pouvait qu'ouvrir la voie à la réaction inverse : l'éclectisme.

Néoclassique et utopies

À la fin du XVIIIᵉ siècle, l'architecture néoclassique évolua vers une aspiration romantique pour donner naissance à un art étrange et symbolique. L'architecture de Ledoux et les projets aussi géniaux que modernes de l'architecte Boullée en sont les meilleurs exemples.

L'architecture antique est copiée et érigée en dogme du fait de son idéal de noblesse et de son attachement supposé à la « vérité ».

La ville et le néoclassique

Vis à vis de la ville, l'architecture néoclassique adopta une conception systématique : l'urbanisme devint attentif, non seulement à l'esthétique, mais aussi aux questions de circulation et d'hygiène.

Haussmann et le néoclassique

En France, le néoclassicisme eut au XIXe siècle une seconde jeunesse grâce au grand projet d'urbanisme entrepris par le baron Haussmann à partir de 1853 ; les grandes artères rectilignes longeant les constructions sont elles-mêmes des symboles de la référence récurrente faite au classicisme.

Un cas d'école

Claude Nicolas Ledoux (1736-1806) fut à l'origine de conceptions architecturales révolutionnaires et débouchant sur le futur. À la fois féru de classicisme et novateur dans l'urbanisme, il réussit un chef-d'œuvre avec ses salines d'Arc-et-Senans (1775-1779). Les divers bâtiments des salines se distribuent autour d'un hémicycle théâtral respectant le modèle classique. À travers leur architecture néoclassique sévère, les différents bâtiments évoquent clairement la division du travail en ce lieu.

Un style repris par tous

Dès la fin du XVIIIe siècle, dans les grandes villes touchées par la révolution industrielle, le décor néoclassique réservé aux édifices publics, pour signifier la noblesse de leur fonction, fut repris par la nouvelle bourgeoisie urbaine. Mais loin du modèle de l'hôtel particulier

La saline royale d'Arc-et-Senans, construite par l'architecte Ledoux.

les Grecs et les Romains | le roman | le gothique | la Renaissa

classique, conçu comme une entité propre juxtaposée à ses voisins, la nouvelle demeure noble s'inscrivit sans peine dans des programmes architecturaux plus vastes. Ceci fut d'autant plus vrai en Angleterre où proliférèrent ces nouvelles formes urbaines qu'étaient les *terraces*, les *crescents* ou les *circuses*. Les mêmes grands programmes virent alors le jour, non seulement à Rome et à Budapest, mais aussi à Vienne avec la Ringstrasse, initiée en 1858.

> **Un usage systématique de la colonne**
>
> Pour la première fois, en dépit des usages amorcés à la Renaissance, on introduit la colonnade dans des demeures privées, au risque de monumentaliser et de rendre public l'espace privé et de faire ressembler les hôtels à des temples.

Classicisme et typologie

L'architecture néoclassique est fortement caractérisée par l'usage auquel les bâtiments sont destinés et il s'agit alors de donner à chaque type d'édifice une façade et un aspect adéquats, véritable recherche d'un langage architectural universel. Aux États-Unis, on peut citer à titre d'exemple les nombreux Capitoles construits à la suite de celui qui fut édifié à Richmond par Jefferson en 1785.

Le décor des façades

Après la Révolution française, les villes se parèrent de nouveaux bâtiments renouant avec le style antiquisant mis à l'honneur sous le règne de Louis XVI. Néanmoins, le néoclassicisme tempéré fut alors remplacé par un style plus prononcé : on vit apparaître des loggias* en arcades, des frises de palmettes*, des bossages* ; ces éléments renouaient directement avec le décor que la Renaissance avait emprunté à l'Antiquité et rappellent l'architecture de Palladio. Par leurs références directes à la noblesse des édifices gréco-romains, ils venaient en quelque sorte raidir un style né dans la grâce du Siècle des lumières.

> Pour l'une des premières fois de l'histoire, un même style architectural arrivait à se décliner avec cohérence, grâce et fonctionnalisme dans l'architecture publique et privée, pour faire de la ville un concept global.

Le néogothique

Combat contre le classicisme, le mouvement néogothique (1840-1890), à la suite de l'École romantique et de son élan en faveur du Moyen Âge, voulut faire renaître les formes gothiques, ne conservant guère que les détails les plus significatifs dans des architectures de pastiche.

Viollet-le-Duc

Les écrits théoriques de Viollet-le-Duc, notamment *le Dictionnaire raisonné de l'architecture française du XIᵉ au XVIᵉ siècle* (1854-1868), exercèrent une grande influence sur de nombreux architectes car il y prédisait l'esthétique fonctionnelle de l'avenir.

Une origine anglaise

L'architecture néogothique est avant tout une invention anglaise, engendrée par le goût des maisons de campagne pittoresques et des jardins paysagers, mais aussi par le classicisme, alors à court d'inspiration. D'ailleurs, la tradition gothique ne s'était jamais interrompue en Angleterre où l'on trouve à l'époque classique une survivance de ses formes. Avec une connaissance parfaite du vocabulaire gothique, les architectes anglais surent retrouver la verticalité très accentuée propre à ce style.

Une vision plus objective

Au XIXᵉ siècle, la libre interprétation des styles, surtout en Angleterre, cède la place à l'exactitude archéologique et on répertorie et étudie les bâtiments gothiques comme on l'avait fait précédemment pour l'architecture classique. C'est en s'appuyant sur ce qu'il pensait être une conception rationaliste de l'art médiéval que Viollet-le-Duc restaura beaucoup de bâtiments. L'inspiration cédant le pas aux recherches en archives et à une analyse objective des sources, des architectes, tel Viollet-le-Duc, multiplièrent les traités et les gravures afin de répandre une grammaire des styles et des formes les plus proches possible de la vérité historique.

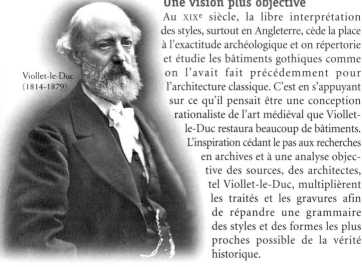

Viollet-le-Duc (1814-1879).

les Grecs et les Romains | le roman | le gothique | la Renaissan

Westminster

Le palais de Westminster, siège du Parlement britannique à Londres, est l'un des plus parfaits exemples de tous les bâtiments construits dans le style néogothique.

Les caractéristiques

Style favori des architectes éclectiques, destiné à ressusciter le style et les formes gothiques, le néo gothique fut surtout repris dans ses caractéristiques de l'époque flamboyante, la plus à même de répondre au goût ambiant, épris de complication. Dans cette résurgence du style gothique, un architecte tel que Viollet-le-Duc peut apparaître comme un puriste dans sa quête d'authenticité, perceptible dans son souci de ne retenir pour le décor que des éléments tirés du monde animal ou végétal. Il fut l'un des seuls à veiller à ce que le décor ne brouille pas la lisibilité du bâtiment.

En France

Moins populaire qu'en Angleterre, l'architecture néogothique doit un peu à la mode romantique (incapable de trouver un style propre) et beaucoup aux nouvelles possibilités techniques de l'acier : les architectes voient une filiation logique entre les formes gothiques et la finesse et la minutie de l'acier. Parallèlement, ce renouveau du gothique fit que beaucoup de bâtiments médiévaux furent restaurés, parfois abusivement, mais en tout cas sauvés de la ruine définitive, comme le château de Pierrefonds dans l'Oise. Ce dernier fut reconstitué par Viollet-le-Duc de 1859 à 1870, à la demande de Napoléon III.

Au XIXe siècle, dans toute l'Europe, parmi les architectes éclectiques, une lutte d'influence apparut entre style classique et style néogothique ; mais ce dernier ne triompha réellement qu'en Angleterre.

Urbanisme et éclectisme

Au XIXᵉ siècle, dans le domaine de l'architecture, une myriade de styles inspirés du passé remplaça l'ordonnance rationnelle du Siècle des lumières. L'éclectisme est un style empruntant ses éléments constitutifs à divers styles. On peut situer ce renouveau des styles historiques entre 1830 et 1870.

Façade du palais Garnier à Paris.

L'influence de Pompéi

L'éclectisme débuta en fait réellement avec le style néogrec mis à la mode dès la fin du XVIIIᵉ siècle ; celui-ci voulait recréer le décor des demeures exhumées à Pompéi.

Une architecture de références

Pour qu'une architecture de quelque ampleur reflète la grandeur, elle devait être travestie sous une architecture du passé. En France, on a privilégié pour le palais Garnier une conception néobaroque qui doit énormément au Bernin et à Versailles. En Autriche, le baroque fut mis en avant, mais aussi les références à l'art grec, comme on peut le voir sur le Parlement de Vienne (1873-1883).

L'inadéquation de l'architecture et de sa fonction

Suivant les caprices de la mode, les grands bâtiments tels que les opéras, les églises ou les bibliothèques pouvaient être construits dans les styles gothique,

les Grecs et les Romains | le roman | le gothique | la Renaissan

grec, roman, baroque ou byzantin. Au Parlement de Vienne, comme pour les temples de la Grèce antique, toute l'ordonnance du bâtiment est centrée sur le portique* de la façade, alors qu'évidemment, la fonction interne du bâtiment n'a rien à voir avec celle du modèle antique. En aucun cas le style ne dépendait de la fonction du bâtiment, mais plutôt du conservatisme de l'architecte, de ses goûts personnels, ou le plus souvent de théories artificielles qui voulaient qu'un style particulier soit retenu pour chaque type de bâtiment public : gothique pour les églises, romain pour les bourses de commerce, le style municipal du Moyen Âge pour les hôtels de ville…

L'éclectisme urbain

L'éclectisme urbain ne fit en architecture que suivre les modes. Contrairement à ce que préconisait Viollet-le-Duc, ce style employa les formes du passé sans les analyser ni chercher à comprendre vraiment leurs fonctions.

La surcharge

Le goût pour l'imitation des styles anciens se double non seulement d'une hybridation de ces styles, mais aussi d'une profusion du décor, le plus souvent gratuite. Outre la multiplication des éléments architecturaux inutiles et des sculptures, cette redondance s'accompagne d'un goût tout à fait nouveau pour la polychromie des matériaux : cuivre, marbre, bronze. Cette profusion correspond à un goût très net pour l'apparat et les motifs ainsi multipliés sont le plus souvent juxtaposés de manière arbitraire. La logique de la distribution est désormais le dernier souci des architectes.

Le sentiment national

La démarche éclectique consista, et ce, quels que soient les architectes qui ont adopté ce style, à emprunter des éléments à divers styles et à les fondre en un nouveau style. Il existe dans cette démarche une constante : chaque style exprime les traditions et les caractéristiques nationales de son pays d'adoption. Sous le Second Empire, les architectes de pastiche permirent de traduire le sentiment de fierté nationale. En France, l'esprit cartésien fit privilégier l'architecture néo-Renaissance, tandis que l'éclectisme baroque, dominant en Autriche, n'était que très rarement adopté, car trop éloigné de l'héritage architectural français.

L'architecture éclectique s'empara de divers styles pour les fondre, mais dans tous les pays l'on favorisa des emprunts aux styles « nationaux » du passé. Ce procédé de fusion entraîna souvent une surcharge décorative et un décalage° entre l'architecture et l'aspect fonctionnel du bâtiment.

L'Art nouveau

Par réaction contre le rationalisme des débuts de l'ère industrielle qui s'exprima notamment dans la toute nouvelle architecture des gares, l'architecture Art nouveau introduisit partout la courbe inspirée de la nature et fut caractérisée par des personnalités très marquées.

À Paris, une grille en fer forgé à l'entrée d'un immeuble, réalisée par Hector Guimard.

L'art funéraire
L'une des manifestations les plus surprenantes de l'Art nouveau se situe dans le domaine de l'architecture funéraire, où les architectes rivalisèrent d'une imagination proche de l'esprit baroque.

La France :
Hector Guimard (1867-1942)

Principal représentant français de l'architecture Art nouveau*, il milita pour une architecture naturaliste et développa un style plein de vie, fondé sur la courbe et la contre-courbe. Outre les célèbres stations du métro parisien, il construisit nombre d'hôtels particuliers et d'immeubles (comme le Castel Béranger par exemple) pour lesquels il dessina les moindres détails et, surtout, employa les matériaux les plus divers tels que : la brique, la meulière, la pierre de taille…

La Belgique :
Victor Horta (1861-1947)

À l'instar de Guimard, Horta fut l'un des architectes les plus inventifs et les plus originaux de l'Art nouveau. Dès le début des années 1890, il commença à développer un style faisant largement usage du fer comme élément structurel et même comme élément décoratif. Fidèle à l'esprit du mouvement Art nouveau, il utilisa très tôt la ligne courbe et les formes végétales, ce qui fit surnommer son style le style «coup de fouet ». En accordant la plus large place aux structures portantes métalliques et aux parois vitrées, Horta annonça l'esthétique fonctionnaliste ; il n'est donc pas étonnant qu'après la guerre il se soit rallié au classicisme de la ligne droite et du béton. Un exemple de construction réalisée par Horta : l'hôtel Tassel à Bruxelles (1893).

La Casa Milá (1906-1910) réalisée par Antonio Gaudí à Barcelone. Elle est souvent appelée la *Pedrera* (carrière de pierres) du fait du matériau utilisé pour sa façade. Cet immeuble d'habitation de huit étages est tout en courbes et ressemble à une immense sculpture.

L'Espagne : Antonio Gaudí (1852-1926)

Partageant avec ses confrères étrangers le goût obsessionnel de la ligne courbe, Gaudí se plut avant tout à transposer librement le gothique, en y surajoutant une prolifération baroque aussi foisonnante que complexe, tel la maison Battló (1904-1906) à Barcelone. Influencé par le Moyen Âge et passionné d'Histoire, il osa tout de même pour la première fois dans l'histoire de l'architecture expérimenter des colonnes légèrement inclinées. Sans jamais oublier la fonction et la structure du bâtiment, il fut un remarquable architecte de la pierre et réalisa bien des prouesses techniques en avance sur son temps, comme la réalisation de la cathédrale de la Sagrada Familia, à Barcelone.

L'Autriche : Otto Wagner (1841-1918)

Curieusement, Otto Wagner commença sa carrière dans le style historisant inspiré de Viollet-le-Duc mais il se rallia peu à peu à l'architecture Art nouveau telle qu'elle pouvait être envisagée dans les autres pays d'Europe. À travers l'utilisation du fer, les lignes épurées, les volumes géométriques et les toits plats, Wagner privilégia tout de même une architecture plus fonctionnelle que ses confrères, se focalisant moins sur les courbes. Il fut grâce à cela l'un des pionniers de l'architecture prospective du début du siècle et forma de brillants disciples, comme Adolf Loos (1870-1933).

Chefs-d'œuvre d'Otto Wagner à Vienne

Les réalisations les plus caractéristiques d'Otto Wagner sont la station de métro Karlsplatz (1894) et la Caisse d'épargne de la poste (1904-1906).

L'architecture Art nouveau rechercha avant tout l'effet, la courbe sinueuse, irrationnelle et baroque. Son idéal fut la fusion de la structure et du décor.

Le XXᵉ siècle et ses grands courants

Trois grandes tendances peuvent résumer l'évolution architecturale qui suivit la Première Guerre mondiale : la mouvance cubiste, une architecture cherchant au contraire à s'intégrer aux formes souples de la nature et à renouer avec les matériaux naturels, enfin, l'architecture de verre et d'acier des tours.

Une maison de Pessac en Gironde réalisée par Le Corbusier, pour l'industriel Henry Frugès.

Le fonctionnalisme

Il existe un point commun entre tous les architectes représentant les diverses tendances architecturales du XXᵉ siècle : le refus de l'architecture de placage systématisée par le siècle précédent. Tous les décors arbitraires doivent être proscrits au profit de la fonctionnalité. À ce titre, les formes ne peuvent qu'être belles et expressives. Évidemment, la mise en pratique de ces théories a été rendue possible par les progrès technologiques du XIXᵉ siècle, notamment le nouveau mariage béton-acier. Désormais, le rapport fonction-forme est le credo de tous les architectes.

Un pionnier : Le Corbusier

La mouvance cubiste et rationaliste représentée par Le Corbusier (1887-1965) tendit à proscrire toute fioriture et lourdeur au profit d'une dimension sculpturale servie par l'emploi de la couleur blanche. La beauté extérieure de l'édifice est liée à l'organisation des pièces entre elles et les parties sont toujours fonction de l'ensemble. Les avancées techniques permettent de dégager l'espace en réduisant beaucoup la pesanteur des structures traditionnelles. Le volume est mis en valeur avec une grande précision géométrique, les toits plats et les fenêtres horizontales permettent de mieux lier la forme à la fonction. Aujourd'hui, les toits en terrasse et les plans ouverts ne sont rien d'autre que l'héritage de Le Corbusier.

Importance de Le Corbusier

Premier théoricien de l'architecture du XXᵉ siècle, Le Corbusier permit la diffusion de concepts tel que celui du style international par le biais de sa revue *L'Esprit nouveau*.
Il fut à l'origine de la création des CIAM, les Congrès internationaux d'architecture moderne.

les Grecs et les Romains   le roman   le gothique   la Renaissance

La maison Kaufmann, dite « maison sur la cascade » (1936-1939) de l'architecte Frank Lloyd Wright, à Bear Run en Pennsylvanie.

Une harmonie architecture-paysage

Roi de l'architecture moderne américaine dans les années trente, Frank Lloyd Wright (1869-1959) fut très influencé au début de sa carrière par l'architecture japonaise traditionnelle. Il développa une architecture appelée à se fondre dans le paysage pour créer un espace convivial. On emploie des matériaux naturels (bois, brique et pierre), les plans sont superposés et les ossatures en bois pour mieux imiter les formes naturelles.

Surtout, à la différence de Le Corbusier, l'espace de l'architecture est ouvert, dans une ligne continue de surface en surface. Afin de mieux s'intégrer au paysage, les lignes orthogonales des toits et des fenêtres se répètent de terrasse en terrasse.

L'acier et le verre

Fuyant la persécution nazie, nombre d'architectes européens gagnèrent les États-Unis dans les années trente et Mies van der Rohe (1888-1969) fut sûrement le plus brillant d'entre eux, consacrant l'alliance du béton, de l'acier et du verre et pensant comme Le Corbusier que la technologie est l'unique façon de régler les problèmes de l'urbanisme moderne. Son célèbre Seagram Building, construit à New-York en 1958, est l'archétype du gratte-ciel tout de transparence, où les horizontales des étages répondent à la verticalité de l'édifice. Ce prototype fut systématiquement repris à partir des années soixante, avec la postérité de milliers de tours-blocs que l'on connaît.

Le béton armé

Employé jadis par les Romains, le béton redevint, après le Second Empire, un matériau à part entière pour la construction. Le béton armé est rapide à élaborer et c'est une technique peu coûteuse. Le béton résiste à la compression, l'acier à la traction et à l'étirement. Une fois les deux combinés, c'est un materiau extrêmement résistant.

Ce sont les architectes de l'après-Première Guerre mondiale qui, *ex nihilo* ou presque, eurent le mérite d'inventer l'architecture de ce siècle.

Le style international et ses limites

Directement dérivé du style fonctionnaliste édicté par les grands architectes de l'avant-guerre, le style international (1945-1970) conquit le monde après la Seconde Guerre mondiale, pour finalement montrer ses limites et entraîner la réaction du style postmoderne, désireux de renouer avec l'humain et les références au passé.

Bauhaus
En fait, les tours de logements américaines adaptèrent l'esthétique fonctionnaliste de l'école du Bauhaus, fondée en 1919 à Weimar en Allemagne, dans la vieille tradition américaine des immeubles à grande hauteur.

La réponse à une crise

L'architecture de style international est en grande partie une réponse à la crise du logement régnant durant l'après-guerre, notamment en France, où Le Corbusier construisit à Marseille la célèbre Cité radieuse, capable a priori d'apporter une réponse adaptée à l'habitat collectif. Cette ville à part entière, constituée de tous les services nécessaires, devait par la suite servir de modèle aux grands ensembles élevés un peu partout, avec des succès divers.

La Neue Nationalgalerie à Berlin (1962-1968), réalisée par Mies van der Rohe.

Le rôle des États-Unis

Après la guerre, les États-Unis firent du style international leur architecture officielle en reprenant les doctrines des grands architectes européens ayant fui le nazisme. L'architecture rationaliste de Mies van der Rohe connut ainsi, à partir des États-Unis, un succès mondial, grâce en partie à l'internationalisation des procédés de construction. Le nouveau style devenu quasi universel combine toujours un traitement sobre avec une organisation technique sophistiquée.

Un monde d'urbanisme

Désormais, l'urbanisme est devenu le territoire privilégié de l'architecture, puisque cette dernière ne peut plus se confronter directement à la nature avec laquelle la technique et la science paraissent malheureusement avoir noué des rapports d'exclusion. L'utopie d'un univers technologique menant à l'uniformisation des modes de vie est désormais devenue insupportable à la plupart des citoyens, ce qui explique un changement d'orientation des architectes.

Le style postmoderne

Le style postmoderne se caractérise par un reniement de la doctrine fonctionnaliste édictée par les grands architectes tels que Le Corbusier ou Mies van der Rohe et qui avait débouché sur le style international. Ce style se plaît à multiplier les références à l'architecture antique et au style néoclassique des architectes du temps de Louis XVI, mais aussi les placages de matériaux précieux, tels que le marbre, jadis proscrits par l'architecture fonctionnaliste. En fait, l'architecture postmoderne rejette l'esthétique contemporaine aussi bien que la recherche systématique de nouveauté en architecture.

Emprunts

Le style postmoderne a aussi fait de nombreux emprunts à l'Art déco dans son goût des riches matériaux.

Le style postmoderne réalise un compromis entre le style international inquiétant par son uniformité et la prise en compte de références à l'architecture du passé.

Les tendances actuelles

L'architecture contemporaine se caractérise par l'émergence de nombreux nouveaux matériaux et celle de personnalités originales qui accentuent l'absence de doctrines architecturales fédérant la création. Seules, quelques tendances collectives se dégagent, au premier rang desquelles le refus du monumental et le goût de la transparence.

Les architectes contemporains

Si les architectes actuels ne cèdent plus à la tentation du placage ou de l'architecture de façade qui avait été la caractéristique de l'architecture éclectique du XIXe siècle, ils développent, en revanche, un « déconstructivisme » : suppression des éléments de stabilité visuelle et de pesanteur. Ils présentent ainsi des architectures anguleuses, apparemment en rupture d'équilibre.

La bibliothèque nationale de France

Dernier des « grands travaux » des années quatre-vingt lancés par François Mitterrand, la Bibliothèque nationale de France de Dominique Perrault, située à Paris sur la rive gauche de la Seine, semble, à travers ses formes dépouillées et géométriques, un hommage au modernisme des années 1920. Mais il ne s'agit pas d'une architecture « stylistique » faisant référence aux styles du passé : seule compte la recherche des éléments utiles à la fonction du bâtiment. Même les arbres du jardin ont leur fonction : celle de filtrer la lumière pour les lecteurs. Ce monument, parfaitement contemporain et ouvert sur la ville, joue aussi sur le virtuel puisque, passé la barrière des quatre tours d'angle, en haut de l'esplanade, on pénètre dans un espace vide, ouvert sur le ciel.

La Cité de la musique

Avec la Cité de la musique, Christian de Portzamparc nous a donné un bâtiment dont les lignes ondulantes évoquent subtilement les courbes d'un instrument de musique, hommage discret à la vocation du lieu, ne mettant jamais en cause le fonctionnalisme de l'édifice. Le ton blanc des surfaces permet de conserver une unité visuelle du lieu, mais la diversification des formes permet d'éviter une dimension monumentale au profit d'un sens ornemental ne s'appuyant jamais sur l'emploi gratuit d'éléments d'architecture.

les Grecs et les Romains | le roman | le gothique | la Renaissan

Un bâtiment pour demain

Le 5 décembre 1999, le choix du jury du concours pour le musée des Arts et des Civilisations du quai Branly s'est arrêté sur l'architecte français Jean Nouvel. L'édifice a été défini à travers une formule « présence-absence » et sera conçu pour ne pas être immédiatement visible, protégé par une paroi de verre sérigraphiée d'ombres d'arbres et un jardin-forêt, ce qui implique la collaboration de l'architecte et d'un paysagiste. Le bâtiment principal sera posé sur des piles à plus de dix mètres du sol et fera office « *d'étagère sur laquelle seront posées les œuvres* », ce qui indique bien la dimension fonctionnelle de l'architecture, loin de tout placage décoratif.

La Cité de la musique de Christian de Portzamparc.

À l'étranger, le cas de l'américain Richard Meier

Il y a à peine deux ans, le grand architecte Richard Meier finissait à Malibu le superbe campus du Getty Museum, réunissant désormais un prestigieux musée et cinq instituts. L'architecte avait déjà signé en Europe le musée d'Art contemporain de Barcelone, le siège de la chaîne Canal + à Paris et le musée des Arts décoratifs de Francfort. Pour le Getty Museum, il a tenu à respecter au maximum le site en conservant le ravin naturel situé au centre. Les bâtiments n'occupent qu'un cinquième de la superficie du campus qui offre de grands espaces à l'air libre. À son matériau préféré, la pierre émaillée blanche, Meier a mêlé le travertin importé d'Italie et a ménagé pour le visiteur de magnifiques vues sur le paysage alentour. Respect et fonctionnalisme furent les deux maîtres mots de ce projet.

Après les avatars de l'avant-garde, du fonctionnalisme, du style international et du style postmoderne, l'architecture contemporaine est en train de trouver ses marques à travers des individualités.

Glossaire

Abside : extrémité arrondie d'une église, derrière le chœur, abritant le sanctuaire.

Accolade : arc décoratif constitué de deux courbes symétriques, alternativement concave et convexe, et dont la rencontre forme au sommet de cet arc un angle aigu.

Architrave : partie de l'entablement* portant horizontalement sur les colonnes.

Art nouveau : mouvement artistique né au tournant du XIXe siècle et rejetant la répétition sans âme des styles d'architecture dérivés de l'éclectisme.

Attique : petit étage supplémentaire qui souvent sert à dissimuler le toit.

Avatar : évolution d'un style vers quelque chose de différent.

Bande lombarde : décor mural constitué de bandes verticales de faible saillie, reliées entre elles dans leur partie supérieure par de petites arcatures aveugles. Caractéristique du premier art roman.

Bas-côté : nef* latérale d'une église. Synonyme de collatéral*.

Basilique : église à nef* centrale flanquée de deux ou quatre bas-côtés*.

Bossage : saillie* en pierre brute ou taillée, laissée à dessein sur le nu d'un mur pour servir d'ornement.

Campanile : tour construite près d'une église et destinée à recevoir les cloches.

Canon : règle, modèle architectural à respecter.

Cariatide : colonne en forme de statue féminine.

Cartouche : ornement souvent en forme de carte à demi déroulée destiné à recevoir une inscription.

Cathédrale : église épiscopale d'une ville.

Chapelles rayonnantes : absidioles visibles de l'extérieur et se greffant sur le déambulatoire*.

Chapiteau : partie d'une colonne au point de jonction du support et de la charge.

Chevet : extrémité de la nef* de l'église, derrière l'autel.

Collatéral : nef* latérale d'une église. Synonyme de bas-côté*.

Colombage : construction en pans de bois dont les vides sont remplis par une maçonnerie légère de brique ou de plâtre.

Colonnade : rangée de colonnes.

Console : moulure en saillie* servant de support.

Contrebutement : action d'opposer à une poussée* une autre poussée qui la neutralise.

les Grecs et les Romains | le roman | le gothique | la Renaissa

Contrefort : massif de maçonnerie contrebalançant la poussée* des voûtes sur le mur extérieur.

Côte : partie saillante entre deux cannelures d'une colonne.

Créneaux : maçonnerie dentelée au sommet d'une architecture.

Croisée du transept : espace carré ou rectangulaire déterminé par l'intersection de la nef* et du transept*.

Cuir : ornement en forme de lanières de cuir aux découpes terminées en enroulements.

Déambulatoire : galerie de circulation autour du chœur de l'église, à partir des bas-côtés.

Doubleaux : arcs transversaux destinés à consolider la voûte.

Entablement : couronnement en saillie* d'un édifice comprenant l'architrave*, la frise et la corniche.

Fenêtre géminée : fenêtre accouplée à une autre.

Fronton : couronnement d'un édifice surplombant la façade.

Fût : partie d'une colonne comprise entre la base et le chapiteau*.

Linteau : traverse horizontale de bois ou de pierre posée sur la partie supérieure d'une ouverture.

Loggia : galerie d'arcades ou pièce non close qui se trouve à un étage supérieur mais, contrairement au balcon, n'est pas en saillie* sur le mur.

Meneaux : montants de pierre subdivisant verticalement une fenêtre.

Modillons : consoles* sculptées de motifs, courant le long des corniches.

Mozarabe : art qui s'est développé en Espagne au Xe siècle et au début du XIe siècle et qui est caractérisé par l'influence de l'islam.

Nef : partie d'une église, comprise entre le portail et le chœur.

Nervure à cellules : la voûte à cellules est une forme particulière de la voûte en étoile, fréquemment employée dans le nord de l'Allemagne, les nervures affectent un relief plus important.

Nervure en étoile : sur une voûte sur croisées d'ogives, les nervures supportent la charge des voûtes et la dirigent sur les piliers. Les nervures en étoile, typiques du gothique flamboyant, affectent un motif en étoile à l'intérieur de chaque travée.

Ordres d'architecture : la règle des ordres d'architecture fut formulée pour la première fois par Vitruve au premier siècle avant J.-C. Elle sert à classer les différents types d'architecture classique et concerne les proportions et la forme des entablements et des colonnes. Les ordres grecs comprenaient le dorique, le ionique et le corinthien ; les Romains y ont ajouté le toscan et le composite. La Renaissance invente l'ordre colossal.

Glossaire (suite)

Palmette : ornement en forme de feuille de palmier.

Petit appareil : disposition des pierres d'une construction, en l'occurrence des petites pierres irrégulières assemblées par des joints de différentes sortes, avec ou sans mortier.

Pignon : mur de clôture entre les versants d'un toit à double pente.

Pilastre : pilier rectangulaire engagé dans un mur.

Pilier cantonné : piler flanqué sur chaque côté d'une colonnette prolongeant les arcs des voûtes.

Plan byzantin : présente une longue nef* rectangulaire.

Portique : galerie de colonnes.

Poussée : action exercée de dedans en dehors par un arc ou une voûte sur leurs supports.

Rinceaux : ornements en forme de feuillages et disposés en enroulement.

Rococo : style décoratif de la phase terminale du baroque (de 1730 à 1780).

Rosace : ornement d'architecture en forme de rose épanouie et contenant un vitrail.

Saillie : partie avançant sur le plan d'un mur.

Solive : pièce de charpente qui sert à soutenir un plancher et qui porte sur les poutres ou les murs.

Stuc : plâtre imitant le marbre, utilisé pour certains motifs décoratifs.

Tour-lanterne : tour sur la croisée du transept*.

Transept : partie transversale d'une église, perpendiculaire à la nef* ; elle donne ainsi à l'église la forme symbolique d'une croix latine.

Travée : portion de voûte comprise entre deux points d'appui.

Tribune : dans les églises, galerie n'étant pas une des parties constitutives indispensables mais destinée à certains groupes de fidèles. Les tribunes s'intercalent au Moyen Âge entre les arcades du rez-de-chaussée et les fenêtres hautes.

Triforium : coursive entre les fenêtres et la voûte d'une église.

Trompes et pendentifs : éléments permettant de passer du plan carré de la croisée du transept* au plan circulaire de la coupole.

Volutes : enroulements en spirale décorant les angles du chapiteau* ionique.

Voûte en berceau : construction en maçonnerie couvrant un espace bâti et s'appuyant sur des murs ou des piliers, dont la section est une demi-circonférence, un arc de cercle ou un arc brisé.

les Grecs et les Romains | le roman | le gothique | la Renaissa

Bibliographie indicative

ACKERMAN (James S.), *L'Architecture de Michel-Ange*, Macula, 1991.

BLUNT (Anthony), *Art et Architecture en France 1500-1700*, coll. « Histoire de l'Art », Macula, 1999.

BOESIGER (Willy), *Le Corbusier*, Artémis, 1983.
Cet ouvrage est épuisé. Il faut le consulter en bibliothèque.

BOULLÉE (Étienne-Louis), *Étienne-Louis Boullée : l'architecte visionnaire et néoclassique*, coll. « Savoir sur l'Art », Hermann, 1993.

DAL CO (Francesco) et TAFURI (Manfredo), *Architecture contemporaine*, coll. « Histoire de l'architecture », Gallimard-Électa, 1991.
Cet ouvrage est épuisé. Il faut le consulter en bibliothèque.

D'ALFONSO (Ernesto) et SAMSA (Danilo), *L'Architecture : les formes et les styles, de l'Antiquité à nos jours*, Solar, 1998.
Cet ouvrage recense toutes les formes et les styles de l'Antiquité à nos jours ; très utile.

DUBY (Georges), *Saint-Bernard : l'art cistercien*, coll. « Champs », Flammarion, 1979.

FOCILLON (Henri), *Art d'Occident : le Moyen Âge roman, le Moyen Âge gothique*, coll. « Le Livre de Poche », LGF, 1988.

FRAMPTON (Kenneth), *L'Architecture moderne : une histoire critique*, Sers, 1985.
Tous les mouvements de l'architecture sont passés en revue avec l'esprit critique et l'expérience de cet historien de l'art de réputation internationale. Ce livre est épuisé.

GARDINER (Stephen), *Introduction à l'architecture*, Somogy, 1984.
Ce livre retrace l'évolution des différents styles architecturaux, des temps lointains à nos jours. Très clair et très informatif.

GRODECKI (Louis), *Architecture gothique*, coll. « Histoire de l'architecture », Gallimard-Électa, 1992.

HAUTECOEUR (Louis), *Histoire de l'architecture classique en France*, tome 7 : « Fin de l'architecture classique », Picard.
Cet ouvrage est épuisé. Il faut le consulter en bibliothèque.

HITCHCOCK (Henry-Russell), *Architecture : XIXe et XXe siècles*, Mardaga, 1982.

JENCKS (Charles), *Le Langage de l'architecture postmoderne*, Denoël, 1985.

Bibliographie (suite)

Kubach (Hans Erich), *Architecture romane*, coll. « Histoire de l'architecture », Gallimard-Électa, 1992.

Murray (Peter), *Architecture de la Renaissance*, coll. « Histoire de l'architecture », Gallimard-Électa, 1992.
Cet ouvrage est épuisé. Il faut le consulter en bibliothèque.

Norberg-Schulz (Christian), *Architecture baroque*, coll. « Histoire de l'architecture », Gallimard-Électa, 1992.

Pariset (François-Georges), *L'Art classique*, coll. « Quadriges », PUF, 1985.

Pérouse de Montclos (Jean-Marie), *Histoire de l'architecture, Tome 2 : « De la Renaissance à la Révolution »*, Mengès-CNMHS, 1995.

Ragon (Michel), *Histoire de l'architecture et de l'urbanisme modernes*, 3 tomes :
– *Idéologies et pionniers (1800-1900)*
– *Naissance de la cité moderne (1900-1940)*
– *De Brasilia au postmodernisme (1940-1991)*
Aux Éditions du Seuil, coll. « Points Histoire », 1991.

Rykwert (Joseph), *Les Premiers Modernes : les architectes du XVIIIᵉ siècle*, Hazan, 1991.

Summerson (John), *L'Architecture au XVIIIᵉ siècle*, coll. « L'Univers de l'art », Thames and Hudson, 1993.

Wölfflin (Heinrich), *Renaissance et Baroque*, coll. « Imago mundi », G.Monfort, 1985.

Weigert (Roger-Armand), *L'Époque Louis XIV*, PUF, 1963.

Zerbst (Rainer), *Antoni Gaudí : une vie en architecture*, Taschen, 1993.

Index
Le numéro de renvoi correspond à la double page.

Responsable éditorial
Bernard Garaude
Directeur de collection – Édition
Dominique Auzel
Secrétariat d'édition
Cécile Clerc
Correction – Révision
Marie-Christine Gaillard-Simorr
Illustrations
François Guillaumet
Iconographie
Sandrine Batlle
Conception graphique
Bruno Douin
Maquette
Isocèle
Fabrication
Isabelle Gaudon
Paula Salgado
Flashage
Exegraph

Crédit photos
© Chauvet - Milan Presse : pp. 3, 10,
13 / © B. Guillemard : pp. 3, 18, 25,
31, 44, 47, 50, 51 / © F. Fontaine -
Milan Presse : p. 22 / © R. Clavaud -
Milan Presse : p. 5 / Corbis - Sygma :
pp. 6, 27, 28, 35, 36, 40, 48, 53 /
© Roger-Viollet : pp. 32, 46 / © Ville
de Nancy : p. 39 / © D.R. : pp. 10, 20,
34, 42 / © F. Guillaumet : pp. 4, 6, 7, 8
9, 11, 12, 14, 15, 16, 17, 19, 24, 29, 52
54-55, 57.

Les erreurs ou omissions
involontaires qui auraient pu
subsister dans cet ouvrage malgré
les soins et les contrôles de l'équipe
de rédaction ne sauraient engager
la responsabilité de l'éditeur.

© **2000 Éditions MILAN**
300, rue Léon-Joulin,
31101 Toulouse Cedex 100 France

Aubin Imprimeur, 86240 Ligugé . - D.L. avril 2000 . - Impr. 59850